EL CONCIERTO
DE SAN OVIDIO

TEATRO

ANTONIO
BUERO VALLEJO

EL CONCIERTO
DE SAN OVIDIO

Edición
David Johnston

Apéndice
Francisco Javier Díez de Revenga

COLECCIÓN AUSTRAL

Primera edición: 15-X-1974
Vigésima primera edición: 3-III-2006

© *Herederos de Antonio Buero Vallejo, 2000*

© *De esta edición: Espasa Calpe, S. A., 1974, 1989*

Diseño de cubierta: Tasmanias

Depósito legal: M. 7.846—2006

ISBN 84—670—1857—7

Espasa, en su deseo de mejorar sus publicaciones, agradecerá
cualquier sugerencia que los lectores hagan al departamento
editorial por correo electrónico: sugerencias@espasa.es

Impreso en España/Printed in Spain
Impresión: UNIGRAF, S. L.

ESPASA

Editorial Espasa Calpe, S. A.
Vía de las Dos Castillas, 33. Complejo Ática - Edificio 4
28224 Pozuelo de Alarcón (Madrid)

ÍNDICE

EL CONCIERTO DE SAN OVIDIO
PARÁBOLA EN TRES ACTOS

INTRODUCCIÓN

A María José

EL CONCIERTO DE SAN OVIDIO figura ya entre las obras clásicas del teatro español contemporáneo. Lo presagiaba la calurosa acogida de público y crítica —podría hablarse, incluso, de fervor— que acompañó su estreno la noche del 16 de noviembre de 1962 así como la concesión del premio Larra, compartido con *La Camisa,* de Lauro Olmo. Bastantes estudios han venido después confirmando y explicando el porqué de aquella entusiasta aceptación primera. Tal sucesión de aplausos se ha visto, en fin, reforzada por una serie de importantes reposiciones de la obra. Dentro de España la más conocida de ellas es la de 1986, ofrecida por el Teatro Español como parte de un homenaje al dramaturgo más relevante de la posguerra. Pero la obra ha sido representada también con éxito en los escenarios extranjeros: sobresalen entre dichas producciones teatrales las del Festival de San Miniato (Italia, 1967), Ulm (Alemania, 1979), Borås Stadsteater (Suecia, 1986) y, más recientemente, la muy alabada versión del prestigioso Wilma Theatre of Philadelphia (EE. UU., 1988).

Cabría preguntar aquí, de entrada, qué ha producido, al margen del prestigio de un autor consagrado, esa atracción. A mi juicio, la fuerza de EL CONCIERTO DE SAN OVIDIO reside en una hábil combinación de lo emotivo y lo intelectual, en su capacidad para despertar intensamente las emociones del espectador, urgiéndole a su vez a reflexionar sobre la destructiva trama de la injusticia contra la que el individuo consciente ha de luchar. Es bien sabido que la incisiva unión de lo trágico junto con la protesta social ha sido siempre el distintivo del teatro de Buero Vallejo. Aun dentro de estos cánones que, a grandes rasgos, conforman el teatro de Buero, es ésta una obra cuya excepcional fuerza dramática se une a una rigurosa denuncia política e histórica. Para comprender la razón de este juego de fuerzas debemos considerar las circunstancias bajo las cuales fue concebida la pieza.

En términos generales podríamos decir que EL CONCIERTO DE SAN OVIDIO es el fruto espontáneo de un momento concreto de compasión que su autor experimentó al ver la reproducción de un grabado francés del siglo XVIII donde se mostraba la cruel humillación de una orquestina de músicos ciegos a manos de un empresario parisino. Profundamente conmovido, tal como él mismo ha declarado, Buero decidió escribir «un drama pro-ciegos» [1], no sólo para expresar el horror que sentía, sino también para exorcizarlo. El exorcismo del horror ha sido siempre característica propia de la tragedia, pues si de alguna manera ésta nos redime es proporcionándo-

---

[1]   Cf. Derek Gagen, «The germ of tragedy: the genesis and structure of Buero Vallejo's *El concierto de San Ovidio*», *Quinquereme*, 8, 1985, pág. 42.

nos la imagen de la supervivencia del espíritu humano, es decir, de *nuestra* supervivencia por encima de las mayores adversidades e injusticias.

En el caso de EL CONCIERTO DE SAN OVIDIO es un tal Valentín Haüy quien facilita esta imagen esperanzadora. Tanto Haüy como el empresario Valindin, son figuras identificables en la realidad histórica, pero, a diferencia de este último, del cual sólo nos ha llegado el nombre, Valentín Haüy ha dejado una huella significativa en la historia. Sabemos que él presenció aquel concierto y, al igual que Buero casi dos siglos más tarde, sintió el horror en su propia carne. A través de aquella experiencia catártica, resolvió dedicar la vida a la enseñanza de los ciegos[2]. De aquí saca Buero la lección más universal y más bella que nos puede proporcionar la tragedia, tanto la griega como la de nuestros días: que el bien puede surgir del mal. Por contra, no han llegado hasta nosotros las desventuras de aquellos pobres ciegos, ni con anterioridad ni posterioridad a aquel incidente, pero el dramaturgo recupera intuitivamente, por medio de esta obra, el significado de aquellas vidas anónimas. Es David, el músico ciego que se enfrenta al empresario Valindin, quien, en particular, encarna todo

---

[2]   Valentín Haüy (1745-1822). Después de presenciar lo que Buero ha llamado «el concierto de San Ovidio», Haüy decidió hacer lo posible por ayudar a los ciegos a valerse por sí mismos. Empezó por enseñar a un joven ciego a leer, compensándole de su propio bolsillo por las horas de clase durante las cuales no podía salir a mendigar, y en 1784 fundó la primera «Institution des Jeunes Aveugles». Fue aquí donde primero estudió y, luego, dio clases Louis Braille, cuyo famoso alfabeto derivó de los principios pedagógicos establecidos por Haüy. Éste fue denominado en vida «el padre y apóstol de los ciegos», epíteto que, desde luego, refleja la forma en que David y Haüy se ven relacionados en la obra.

el sentido trágico que evocaba aquel grabado, convirtiéndose así en uno de los personajes clave de todo el teatro de Buero.

DEL COMPROMISO HISTÓRICO A LA UNIVERSALIDAD DEL ARTE

[y teatro comprometido]

Todo arte aspira a ser el fruto de una reflexión atemporal, a transmitir una imagen que trascienda las fronteras del espacio y el tiempo, sin dejar por ello de enraizarse en una época determinada. Si examinamos las raíces de EL CONCIERTO DE SAN OVIDIO, no es para intentar reducir toda su variedad de significados a un análisis de sus circunstancias históricas, por apremiantes que éstas sean, sino porque éstas casi automáticamente imponen cierta forma a la obra. Se ha convertido en un tópico el referirse al teatro de Buero como un espejo de la experiencia colectiva, pero no cabe duda de que en los tiempos sombríos y confusos de un pasado no muy lejano ese espejo sirvió para que una nación se reconociese a sí misma, en lo bueno y en lo malo. EL CONCIERTO DE SAN OVIDIO se halla profundamente enraizado en el análisis del momento en que se escribió, y refleja los matices cambiantes de la vida nacional. Así tiene que ser el teatro de conciencia social. Pero, al igual que toda obra de protesta social que se precie, EL CONCIERTO DE SAN OVIDIO no se limita a particularizar su momento. También lo universaliza. Si ese pequeño milagro literario no fuera posible, ¿cómo podríamos referirnos a la universalidad de otros dramaturgos —pienso en Arthur Miller o Sean O'Casey— igualmente comprometidos con su circunstancia histórica?

Las coordenadas específicas de espacio y tiempo que conforman las raíces existenciales de la obra, y su forma de infiltrarse en la conciencia artística de Buero, solamente pueden ser entendidas por completo si nos remontamos a 1958, año en que se estrenó *Un soñador para un pueblo.* Esta obra, que describe los intentos de Esquilache por abrir el mundo claustrofóbico de la España del siglo XVIII a los nuevos vientos de la Ilustración europea, fue la primera de un ciclo de dramas históricos mediante los que Buero emprendió un replanteamiento crítico de algunos momentos significativos de la versión «oficial» de la historia española. *Un soñador para un pueblo* fue seguida, en 1960, de *Las Meninas* y, en 1970, de *El sueño de la razón,* obras que reexaminan los enfrentamientos de dos artistas, Velázquez y Goya respectivamente, contra el recalcitrante espíritu inquisitorial de aquella que tantos escritores han denominado la España negra. La obra más reciente dentro de este ciclo, *La detonación,* fue estrenada en 1977, y constituye una compleja y pulida recreación de los intentos frustrados (y final suicidio) de Mariano José de Larra en su lucha por hacer que la sociedad admitiera su propia bancarrota moral.

En el caso de un dramaturgo que intenta crear bajo el franquismo, es fácil suponer que el recurrir a otra época no es más que una artimaña para burlar la censura, para hacer que un teatro «posibilista» sea, de hecho, posible. Pensar así supondría, sin embargo, minimizar la complejidad del pensamiento histórico de Buero. Uno de los propósitos centrales de su obra es revelar al hombre cuánta historia lleva dentro de sí. Por un lado, se podría oír en esto un eco de la convicción clásica marxista de que la conciencia del individuo está determinada por su ser social, el cual es, a su vez, producto del proceso histórico. Todos llevamos a cuestas nuestro pasado, «con su haber y con su debe», como diría Unamuno. Esto explica por qué todos los protagonistas del teatro histórico de Buero, entre ellos David, se ven obligados a rebelarse contra las actitudes negativas de su tiempo, contra la historia misma. Pero existe igualmente una proyección futura, sustentada en la idea de que el individuo acarrea en sí la historia porque expresa también su capacidad para crearla. Así, el fluir mismo de la historia, el proceso por el cual el pasado se convierte en futuro, viene a constituir la dinámica de este ciclo de obras. Parafraseando a Antonio Machado, el teatro histórico de Buero se nutre de «la palabra en la historia».

UNA OBRA EN CLAVE DE PARÁBOLA

Es bien sabido que el buen teatro histórico, a diferencia de las típicas comedias 'de túnica' al modo de las películas de romanos de Hollywood, debe guardar tanta relación con la época en que haya sido escrito como con la que pretende representar. Esto explicaría, en parte al menos, la razón por la que EL CONCIERTO DE SAN OVIDIO viene descrito como «parábola», queriendo significar así que la obra traza un paralelo con la profunda realidad histórica del momento presente. Ello no implica que el escritor vaya a distorsionar adrede su material histórico —al contrario, la obra evidencia la meticulosa preparación previa de Buero—, sino que va a enfocar, siempre de modo oblicuo, la época contemporánea. Un ejemplo de los cambios que esto conlleva, y que es perfectamente plausible en el contexto de la obra y de la Francia del siglo XVIII, es el control eclesiástico del Hospicio de los Quince Veintes, que cobija a los ciegos. De hecho, como el propio Buero ha declarado, el hospicio estaba en realidad dirigido por laicos[3]. Mediante ese tipo de cambios el proceso de la recreación imaginativa convierte la historia en parábola.

Esta concreta modificación que acabo de citar expone claramente cómo Buero busca crear un paralelismo entre el *ancien régime*, que había de caer con la Revolución francesa de 1789, y el régimen de Franco en la época de 1962. El bloque dominante de poder en la época prerrevolucionaria brotaba de la alianza aristocracia-iglesia, una superestructura feudal cuya autoridad, como sugieren las oraciones con las que EL CONCIERTO DE SAN OVIDIO da comienzo, emana directamente de Dios. El espectador de 1962 no debió de tener mucha dificultad en detectar en dicha unión evocaciones de las autoridades políticas y morales que gobernaban su vida, así como el hecho de que ambos poderes no vacilarían en recurrir a la violencia para preservar su estabilidad. De igual manera, al público se le recuerda implícitamente que tales autoridades no tienen por qué ser más permanentes que aquellas del *ancien régime*.

No obstante, la parábola profundiza aún más en su paralelismo. En la España de principios de los sesenta se estaba produciendo uno de los cambios potencialmente más trascendentales del período de posguerra. En efecto, se estaban empezando a sentir en el país los efectos del *boom* económico europeo de los años cincuenta, en gran parte a través de la llegada masiva de turistas extranjeros cuyo nivel de vida contrastaba con el de muchos españoles. A medida que la anacrónica dictadura se empapaba de la creciente ética capitalista, se dejaba notar también un consiguiente grado de aper-

---

[3] Antonio Buero Vallejo, «De mi teatro», *Romanistisches Jahrbuch*, 30, 1979, págs. 225-226.

tura en muchos aspectos de la vida nacional. Es más, al contrario que sucedía en otras naciones europeas en las que la oposición al capitalismo se enraizaba en una respuesta abiertamente izquierdista, en España el capitalismo y toda su atractiva red de consumismo florecían sin impedimento alguno, amparados bajo el autoritarismo imperante. En este entorno, la oposición anticapitalista tendía a buscar voz en la expresión artística. La idea de que el pueblo, como entidad política, a menudo se venda los ojos ante sus verdaderos intereses se halla con frecuencia en el teatro de Buero, especialmente quizá en *Un soñador para un pueblo*. Hay que recordar que entre esta obra y la creación de EL CONCIERTO DE SAN OVIDIO los acontecimientos en España parecían comenzar a tomar un rumbo que sugería que la resistencia al paternalismo estatal podía erosionarse cada vez más.

La época en la que se sitúa EL CONCIERTO DE SAN OVIDIO —recordemos que la acción tiene lugar en 1771— ofrece un intrigante reflejo de la situación que acabamos de describir. No es sorprendente que el período de la Revolución francesa constituya un terreno abonado para la inspiración de tantos escritores. Aparte de la naturaleza dramática inherente a los acontecimientos mismos, lo que más nos llama la atención hoy en día es la creciente tensión entre la aristocracia y la naciente clase burguesa. En el período inmediatamente anterior a la revolución la historia presenciaba un lento pero incesante cambio de poder de la vieja aristocracia, asentada en Versalles, a las nuevas clases pudientes parisinas. A esta transferencia del poder, y a su localización —con la correspondiente tensión entre dos visiones del mundo, la una feudal, la otra capitalista— se alude sucintamente en uno de los primeros comentarios que hace La Priora del hospicio a Valindin. Este último declara que «en Francia nada se logra si no es desde París», a lo que la Priora responde rápidamente: «O desde Versalles.»

El nacimiento de esta nueva ética del *laissez-faire* de iniciativa capitalista, el espíritu de la libre empresa, por contraposición a los privilegios de casta, supone una transformación radical en las relaciones socio-económicas, que todavía hoy sigue siendo la base de nuestro mercado de trabajo. De hecho, se puede decir que el mundo moderno económico nace entonces. Inicialmente, el capitalismo supone una bocanada de aire fresco dentro del oscuro pozo del feudalismo histórico, porque viene a dar a un público nuevo la libertad de elegir sus propios gustos, al menos en teoría, en lugar de que se los dicten. Por esto, el espectador se pone del lado de Valindin cuando dice a la Priora que la orquestina no tocará canciones religiosas ya que las otras «Son las que el público prefiere». La Priora, indudablemente, interpretará esta manifestación de pragmatismo interesado como una asombrosa forma de igualitarismo. Por tanto, en el contexto de la sociedad occidental, Valindin representa claramente la figura del capitalista cuya visión del mundo es de signo ascendente —«Me vas a ver subir como la espuma», se jacta ante Adriana—, y, por otro lado, en un contexto español más específico, él es el «aperturista» cuya empresa todavía necesita el visto bueno de los que tienen el privilegio de la autoridad. De ahí deriva la servil, y a veces cómica, entrega de Valindin al invisible barón de la Tournelle.

En 1771, quizá al igual que en 1962, se respiraban vientos de cambio. Tras aparentes siglos de parálisis el mundo se ha puesto en marcha. Esto explica por qué a David le atrae tanto la idea revolucionaria propuesta por Valindin. Ésta no sólo augura el fin de la realidad opresora de un mundo gobernado por el privilegio, sino que, en lo que respecta al ámbito de los ciegos, podría acabar con la corrosiva sensación de ser un objeto inútil en la sociedad de los videntes; por eso dirá a sus temerosos compañeros: «Hay que convencer a los que ven de que somos hombres como ellos, no animales enfermos.» Nos hallamos, así, en un momento de «cambio cualitativo» en la historia humana [4], ante la posibilidad de una nueva libertad personal expresada a través de la metáfora conmovedora de la orquestina de los ciegos. Buero comunica la emoción de David al público con la viva melodía del *allegro* del *Concierto de Navidad,* de Corelli, que llena la sala oscura antes de que los focos iluminen el lujoso apartamento de Valindin.

El alborozo de David durará poco. Está claro que EL CONCIERTO DE SAN OVIDIO está escrito desde una óptica retrospectiva y desde una postura de izquierdas. Por ello Buero, como vemos en muchas de sus obras, va a desmitificar, a desenmascarar, al hombre de acción sin escrúpulos, que, en este caso, como sucediera con Vicente en *El tragaluz,* es el empresario agresivo, el tiburón que necesita estar nadando y alimentándose constantemente para sobrevivir. La figura de Valindin nos llega filtrada a través de la subsiguiente desilusión por el capitalismo y las lacras inherentes al sistema de vida que conlleva. Buero hace de este modo una denuncia en

---

[4]   Esta noción, fundamental para lo que vino a llamarse el materialismo histórico, fue heredada por Marx de Hegel. Quizá se entienda mejor a través de una metáfora de éste: la de que el cambio cualitativo histórico es como el parto cuando el feto se transforma en ser humano. Para Hegel ello implicaba un avance del espíritu humano, mientras que Marx, característicamente, lo interpretaba en términos de transformación social. En *El concierto de San Ovidio* parece que las dos realidades van íntimamente enlazadas.

contra de la ética capitalista todavía vigente en nuestro mundo occidental, una denuncia que, en su momento, quiso recordarle a un público español sediento de libertad que no es oro todo lo que reluce. Los mendigos ciegos salen del hospicio, desde su existencia estancada de objetos sin esperanza, para acabar convirtiéndose en meros objetos de compraventa en el mercado de Valindin.

En un principio los ciegos se prestan al proyecto de Valindin, sencillamente porque les ofrece una mejora material significativa, comidas «algo más sabrosas, sin duda, que nuestra pobre olla», como dice la Priora. Llegados a este punto, deberíamos recordar que todavía nos encontramos en el ámbito histórico del espíritu de María Antonieta, que al hallarse ante un tumulto de hambrientos, exclamó: «¡que coman bizcocho!». Con una injusta distribución de tierras y una estructura social polarizada en ricos y pobres, el hambre se convirtió en la cotidiana realidad de millones de seres que vivían bajo el *ancien régime*. Salvando la diferencia histórica, bastantes españoles sufrieron durante los años cuarenta, e incluso durante parte de los cincuenta, parecidas estrecheces y penalidades. De ahí que el hambre venga a ser uno de los *leitmotivs* de EL CONCIERTO DE SAN OVIDIO, al igual que en otras obras como *Aventura en lo gris* y *La fundación*. En todas ellas es el hambre una realidad vivida y, a la par, si se nos permite utilizar la frase de Marcuse, un símbolo de la existencia unidimensional de estas personas.

El hambre se convierte en el denominador común de la experiencia de personajes tan aparentemente distintos como lo son los músicos ciegos, Bernier y Adriana. Todos caen en la trampa agridulce de Valindin, casi de buena gana y sin poder hacer otra cosa. Como veremos más adelante, esto conlleva, desde luego, una fuerte denuncia de las condiciones opresoras que hacen que el nuevo capitalismo tenga tanto atractivo; pero el propósito del dramaturgo es demostrar claramente que el sistema capitalista, con sus incentivos, sus promesas y sus premios brillantes, no puede satisfacer los deseos y las aspiraciones que despierta. El análisis de Buero tiene, en este sentido, una doble vertiente. Por un lado, existe lo que podríamos denominar el engaño material. El sistema de Valindin se alimenta de lo que Marcuse, en su análisis del sistema económico de nuestro mundo occidental, ha llamado «las necesidades falsas» que logra estimular en la gente. Así vemos cómo durante la conversación en la que los mendigos discuten sobre las posibles ventajas de entrar a trabajar con Valindin, el ciego Donato, sin ninguna ironía, ni trágica ni cómica, canturrea con creciente excitación: «Cuando Colasa la rodilla enseña.»

LA LECCIÓN HISTÓRICA Y SOCIAL DE «EL CONCIERTO DE SAN OVIDIO»

Haciéndose eco de una de sus metáforas centrales, Buero describió una vez su teatro en términos de «gafas para cegatos que quisieran ver»[5], entendiéndose por ello que él propone un teatro de enfoque honesto de las verdades que se nos ocultan y de las que nosotros nos ocultamos. En EL CONCIERTO DE SAN OVIDIO llega un momento en que los ciegos, con excepción de David, están dispuestos a aprender nuevas canciones que per-

---

[5]   Antonio Buero Vallejo, «Sobre teatro», en *Teatro*, Taurus, Madrid, 1968, pág. 62.

petúen su ya denigrante condición ante un público burgués y burlón, con tal que «el señor Valindin nos pagase
más». Ya se han convertido en los ciegos metafóricos de
la sociedad. Su ceguera es, en este caso, otro símbolo
más de la existencia unidimensional que ellos mismos se
disponen a aceptar. En un libro de Erich Fromm, *Ser o
tener,* publicado en España en 1978, encontramos un
importante análisis de la alienación que es inherente,
según su autor, al sistema de producción capitalista; sus
conclusiones pueden ayudarnos a entender mejor la creciente división de actitudes entre David y los demás
ciegos. Mientras que éstos se contentan con *tener,* con
llevar una existencia dirigida solamente hacia la adqui-
sición, David se esfuerza por *ser,* por convertirse en un
sujeto libre dentro de su mundo, y no un objeto com-
prado entre otros objetos. Esta aspiración la expresa, de
nuevo por medio del símbolo de la orquesta, al preguntar al músico Lefranc: «¿No podría entrar yo como el
último de los violinistas en la Ópera Cómica?»

David se mantiene apartado de la trampa material.
Sin embargo, cae de bruces en el ímpetu del engaño
moral implícito en la orquestina de los ciegos de Valindin. En un principio parece que esta idea ofrece a David
un puente entre el mundo del sueño —simbolizado para
él por Melania de Salignac y comunicado al público por
medio de los tonos emotivos del adagio del *Concierto de
Navidad*— y el mundo de la realidad objetiva, la sociedad de los hombres entre los cuales David se afana por
ocupar su debida posición. La luz brillante de la filantropía del empresario deslumbra a un David inmerso en
un mundo oscuro de sueños. Pero la filantropía, de la
que tanta gala hace Valindin, no es más que una careta
con la cual disfraza su codicia, aunque cada vez con más
dificultad. Valindin, «hombre emprendedor y eficaz»,

sabe aprovecharse de la filosofía radical de aquel entonces, que luego florecería en la Declaración de los Derechos del Hombre[6], para crear su mercado dentro de la
brecha histórica que había abierto en la muralla del
ancien régime. El dramaturgo expone el engaño moral e
intelectual por parte del naciente capitalismo de Valindin al declarar éste a la Priora que, aunque comparte
las nuevas ideas, está absolutamente en contra de «los
disparates de un Juan Jacobo o de un Voltaire». Esto es
dar en el clavo, porque así Buero señala con sutileza y
precisión la peligrosa contradicción inherente al aparente liberalismo de la ética empresarial. Aunque ésta de-
fiende con pasión cierto tipo de libertad (es decir, la
nueva libertad de las clases adineradas para explotar a
los desposeídos), también rechaza tanto la noción crucial de la libertad social garantizada por la responsabilidad *(El contrato social,* de Juan Jacobo Rousseau) como
el tipo de libertad filosófica tan vigorosamente defendido por Voltaire.

El vacío moral que existe en el corazón de Valindin y
de su sistema, que se oculta tras la plausibilidad de su
lenguaje y la máscara de sus frecuentes pretensiones de
aguda sensibilidad, es una preocupación constante del
teatro de Buero. Tanto Vicente, en *El tragaluz,* como
Paulus, el jefe de policía en *La doble historia del Doctor
Valmy,* comparten esta habilidad inquietante para di-

---

[6]   Después de la revolución, la Asamblea Constituyente emprendió la reconstrucción de Francia, basando dicha empresa en la Declaración de los Derechos del Hombre y del Ciudadano, aprobada el
27 de agosto de 1789. En ella se defendía el gran desiderátum de
«liberté, egalité et fraternité». Como señala *El concierto de San Ovidio,* son valores que pronto empezaron a degenerar bajo la interpre-
tación que les imponía la nueva clase burguesa, pero que no dejan por
ello de tener una enorme importancia histórica.

simular la explotación y la tortura con el uso de lo que un personaje de *El tragaluz* llama las «bellas teorías para tu tranquilidad». Este problema será perenne en una sociedad cuya propaganda proviene de las plumas de los escritores publicitarios más hábiles, y la literatura de nuestros días tendrá que cargar con sus consecuencias, como ha demostrado de manera concluyente Roland Barthes en obras como *La escritura grado cero* y *Mitologías*. En el caso del teatro de Buero, los cegatos con voluntad de ver, que representan la última esperanza para el dramaturgo, percibirán claramente que la facilidad de palabra y la supuesta grandeza de idea no siempre pertenecen al dominio de la verdad.

Como casi todos los personajes de Buero que se incluirían entre los hombres de acción sin escrúpulos, como Vicente o los policías torturadores de *La doble historia del Doctor Valmy,* Valindin es castigado simbólicamente por su creador. Sencillamente, no vive feliz. Es como si el engaño moral, que en un principio le ayuda a sobrevivir y, luego, a crecer, estuviese carcomiéndole en alguna parte de su ser todavía salvable en términos humanos. A fin de cuentas, es bien posible que no sepa ser sincero ni consigo mismo, y que su último grito de «¡Adriana!», en el momento en que le agrede David, sólo sea la escena final del papel de hombre sensible que siempre ha venido desempeñando. Sea como sea, la tremenda disyuntiva que vive Valindin, entre el hombre filantrópico que aparenta ser y el animal carnívoro que realmente es, le sumerge en la soledad más desoladora: es el destino, quizá, de todos los que —podríamos decir parafraseando a Oscar Wilde— ven lo humano en términos de precio en vez de valor. Valindin intenta compensar su soledad con frecuentes «juergas», pero incluso éstas, como dice Adriana, son siempre «solitarias». No cabe duda de que el empresario quiere resultar simpático, que incluso se cree capaz de despertar verdadero afecto en los demás; pero este abismo entre lo que profesa y lo que hace le vuelve repugnante ante todos. Por esa razón se le niegan el amor y el hijo que pide a Adriana, los cuales se conceden (simbólicamente, por lo menos, dado el rápido desenlace final de la obra) a David. Valindin es uno de los personajes más insalvables de todo el teatro de Buero, y, quizá por esa misma razón, uno de los más solitarios.

Por medio de Valindin, Buero nos permite ahondar en el mismo corazón del sentido empresarial de la vida, exponiendo a la luz una destructiva mezcla de orgullo y miedo, de paternalismo e inseguridad mordaz. Pero siempre hemos de recordar que los mendigos ciegos no gozan de nuestra visión histórica. Si salen del hospicio a la búsqueda de unas mínimas mejoras materiales, es porque son las víctimas de la conciencia social que les impone el sistema vivido. Una vez que el espectador ha experimentado lo que puede ser la vida dentro del hospicio, con sus cortinas oscuras y pesadas y su olor a salmo latino, comprende en seguida por qué los ciegos están dispuestos a arriesgar la poca seguridad que tienen, simbolizada por el emblema aristocrático de la flor de lis, y salir sin ella al mundo de los videntes. En este nuevo mundo —en concreto, el apartamento de Valindin— donde en marcado contraste con la sobriedad del decorado del hospicio abundan cosas y detalles, la vulnerabilidad de los ciegos se hace patente, subrayada por la advertencia de Valindin de «Cuidado de no romperme nada con vuestros palos». En contraposición al mundo agresivo del empresario, entonces, el Quince Veintes es, como el hospicio que describiera Machado en *Campos de Castilla,* «un rincón de sombra eterna», un símbolo existencial de la futilidad de vida de todos aquellos a quienes no les está permitido hacerse valer en el mundo. «¿Qué hacemos aquí desde hace siglos? ¡Reventar poco a poco!», exclama Nazario con amargura.

En este contexto es el personaje de la Priora el que más nos interesa. Debería quedar bien claro desde un principio que el dramaturgo no tiene ningún interés en inmolar al representante del cristianismo en aras de sus dudas metafísicas, como lo hiciera, por ejemplo, Albert Camus, en *La Peste*. Es verdad que Buero nunca ha disimulado la tristeza que le ha producido lo que él mismo ha denominado «la actuación funesta» de la Iglesia a lo largo de la historia[7]. Pero su ataque va dirigido a la Iglesia como institución social y no con respecto a una serie de preceptos religiosos o éticos. De hecho, como veremos más adelante, EL CONCIERTO DE SAN OVIDIO contiene elementos calificables de evangélicos en tono y espíritu. La Priora, en particular, revela algunos rasgos positivos en su personalidad. Descubre al verdadero Valindin con una lucidez poco común y combina esa perspicacia con un sentido del humor ácido, no exento de un ligero —y, por cierto, atractivo— toque de malicia. En este sentido, la Priora es otro buen ejemplo de la capacidad de Buero para crear personajes secundarios memorables, tanto en el texto como en el escenario, con un par de pinceladas enérgicas. Pero siempre constituye un error examinar a los personajes dramáticos aisladamente; la Priora nos interesa aquí en el contexto de su interacción principal, es decir, con los mendigos ciegos.

Todo el peso de los comentarios que hace a Valindin,

---

[7]   Antonio Buero Vallejo, «Una fe llena de dudas» (Entrevista), en *La Calle,* 180, 1981, pág. 48.

así como de los consejos que da a los ciegos, deriva de la convicción de que «Dios no consiente la ceguera de estos trescientos desdichados para perder sus almas, sino para que ofrezcan oraciones por las calles, lo mismo que en los velatorios y las iglesias». Es la suya una visión profundamente negativa, no sólo en cuanto al placer material, sino también por lo que se refiere a las posibilidades que tiene el individuo de luchar contra sus propias limitaciones. El efecto que produce este sistema de pensamiento es una constante minimización del prestigio personal de los ciegos, incapacitándolos para cualquier pensamiento o acción independientes que trasciendan lo rutinario. Por un lado, esta convicción de La Priora evoca el prejuicio social de la época, que consideraba que los ciegos eran casos perdidos, como si el factor que más definiese lo humano fuese la facultad de ver. Por otro, la actitud de la Priora deriva de creer que la ceguera de estas personas es una señal de que no son dignas de ejercer ningún control sobre sus propias vidas. Dentro de los propios términos de la Priora, esto es bastante lógico. Si el derecho divino es el principio que gobierna la monarquía y la nobleza, entonces ¿por qué no ha de ser repartida la miseria más ruin a través del principio de un sufrimiento también sancionado por lo divino?

Los ciegos viven bajo una forma de *apartheid,* aislados temporal y espacialmente dentro del hospicio. Son incapaces de establecer ninguna comunicación verdadera con el mundo de fuera. Las limosnas que cobran se les dan sencillamente para que dejen a los videntes en paz, de la misma forma que quizá mucha gente las da hoy día para poder olvidarse con tranquilidad de la desgracia de los demás. Y si es cierto que se pueden casar, sólo es con «las hermanas del pabellón. ¡Otra manera de reventar!». Asimismo, su pasado individual, como vemos en el caso de Donato, está tan inundado de dolor que existe solamente como una pesadilla que hay que olvidar, y que él busca fundir con el sentido colectivo de la «sombra eterna». El futuro de los ciegos no es más prometedor. Sólo se puede concebir en términos de grupo, un futuro de nerviosa indecisión simbolizada de forma muy conmovedora por el instinto que les hace agruparse en momentos de crisis. En este contexto es importante fijarnos en cómo quiere Buero que estos hombres se presenten por primera vez ante el público. La primera impresión que ha de sacar el espectador es la del sufrimiento colectivo, tal como sugiere esta acotación:

> Al pronto no es fácil distinguirlos [a los ciegos]. Sus ojos sin vida, la cortedad de sus movimientos, las ropas seglares, que, si bien diferentes, se parecen entre sí por lo humildes y maltrechas, el cayado que trae cada uno y el rectángulo de tela azul con una flor de lis color de azafrán, emblema de los Quince Veintes que todos llevan cosido al pecho, contribuyen a confundirlos.

Después, exigencias del escenario requerirán que los mendigos sean diferenciados entre sí, cosa que Buero logra, de nuevo, con unos cuantos toques hábiles. Pero, ahora, lo fundamental es que estos ciegos se confundan y que, como grupos, transmitan ese sentido de imposibilidad en el que se encierra su existencia. Dos de ellos, Elías y Lucas, evocan la desesperanza colectiva, esa sensación de no tener pasado, futuro ni forma de salir hacia fuera, que destruye su vida individual:

> ELÍAS.—[...] ¡Nunca hubo orquestas de ciegos!
> LUCAS.—¡Ni las habrá!
> ELÍAS.—*(Inclina la cabeza.)* No servimos para nada.

El gesto de Elías es real y simbólico a la vez. Siente dolor y agacha la cabeza ante lo inevitable.

La inmovilidad del mundo de la Priora se basa en la noción de que cada cual tiene que conocer y aceptar su propia posición social. Por ello, considera a Valindin como una amenaza revolucionaria para un sistema solidificado bajo la parálisis de los siglos. En efecto, su apreciación es correcta, ya que el empresario presagia el derrumbamiento del antiguo mundo. Para ella es el privilegio de cuna el que determina no sólo el rango, sino también la utilidad social que uno tenga («han nacido para rezar», le advierte a Valindin), y cualquier intento de cambiar esa circunstancia sólo puede llevar al fracaso personal y al desorden social. Ese fatalismo que emana de ella, abrumando a los ciegos, tiene una importante dimensión histórica. Para la Priora, en el único sentido en que ella podría concebirla, la historia sería el continuo desarrollo del plan divino, un proyecto sobrehumano que garantizaría el bienestar social absoluto: la idea del universo bien hecho, que Voltaire satirizaba tan mordazmente en su *Candide*, publicado en 1758. Por tanto, cuando Donato confiesa a Adriana que David «dice que Dios no puede haber querido nuestra ceguera», se está haciendo eco, inconscientemente, del gran descubrimiento humanístico, del cual nació la Ilustración, de que nuestras circunstancias son cambiables, y que la historia es un proceso abierto a la intervención humana.

LA LECCIÓN MORAL

Podemos decir que la Revolución francesa cobra así su plena significación en EL CONCIERTO DE SAN OVIDIO. Recordemos que fue la Revolución francesa la que inició la época de las revoluciones modernas, al intentar por primera vez transformar las condiciones de vida del pueblo, y no sólo sustituir a un líder absoluto por otro, como hicieran los aldeanos de *Fuenteovejuna*. No es exagerado decir que el concepto del progreso social nace con la Revolución francesa, y que el hombre, al menos en teoría, se libera de las cadenas del mundo feudal. A través de las punzadas de dolor de la revolución, con su ola de violencia sangrienta, nace la posibilidad humana. Es éste un momento de tremendo balance histórico, que Dickens describe en su *Historia de dos ciudades* como «el mejor de los tiempos y el peor de los tiempos».

Valentín Haüy, en el epílogo de la obra, da expresión a estas implicaciones de la revolución. Como el historiador escocés Thomas Carlyle, para quien la revolución seguía formando una parte dolorosa de su entorno histórico más inmediato [8], Haüy la ve como una reacción natural a esa sociedad de «hambre y ferias» que Buero evoca con tanta compasión en EL CONCIERTO DE SAN OVIDIO. Sin embargo, Haüy representa la respuesta reformista, el progreso mediante la aplicación de genuinos valores filantrópicos a concretos problemas sociales. Como ya hemos sugerido, es el ciego David el verdadero revolucionario de la obra. Es él quien intenta derribar al Goliat del prejuicio social, y la agresión que él comete presagia, en todos los sentidos, el enorme estallido de

---

[8] Thomas Carlyle (1795-1881). Su muy influyente *History of the French Revolution*, en tres tomos, fue de las primeras en señalar que la Revolución francesa estaba enraizada en un masivo descontento popular más que en el conflicto de intereses de las dominantes capas sociales.

1789 que iba a transformar la visión que tenía el hombre de su propia posición dentro del universo.

Desde el primer momento David se mantiene al margen de la discusión de sus compañeros ante la propuesta de Valindin, pero también hace que sintamos su presencia, negándose a hablar antes de que dé su opinión la Priora. Tal vez sea éste un detalle pequeño, pero también es una solución hábilmente tramada a un problema dramático bastante difícil. Es importante que David se diferencie del grupo desde el principio sin disipar ese halo de miseria colectiva tan importante. La excusa que da por no haber recaudado tanto como sus colegas —«Se me pasó el tiempo»— le caracteriza en seguida como un soñador. El teatro de Buero tiende a la dramatización del conflicto interpersonal mediante las opuestas modalidades de ser, la contemplativa y la activa, y el espectador asiduo a este teatro no tendrá ninguna dificultad en descubrir así en David al antagonista natural de Valindin.

Si Valindin aspira a ser el fénix que surge de las cenizas del *ancien régime,* debería quedar bien claro que David es la víctima de dicho mundo en todos los aspectos de su ser. Buero concede a su personaje una prehistoria bien definida. Podemos concluir de la conversación que mantiene con Adriana hacia el final de la obra —aunque, curiosamente, el propio David no lo deduzca— que él es el fruto de la unión ilegítima del señor del castillo con una lavandera, despedida luego por razones que él desconoce. La manera en que perdió la vista, durante una exhibición de fuegos artificiales en el castillo, también tiene su simbolismo. La aristocracia francesa disfrutaba mucho de los fuegos artificiales, los cuales han pasado a la historia como otra versión del bizcocho de María Antonieta, una imagen del hedonismo que buscaba la belleza fácil, mientras que la mayor parte de la población vivía en condiciones miserables [9]. También sabemos que a David le fascina la fuerza de las ideas —«Desde que espiaba a los hijos de mi señor para oírles hablar de los libros que estudiaban. Y luego, por la noche, cavilaba y cavilaba...»— y que compensó su ceguera retirándose a un mundo de imaginación circunscrito por la música, pues «cuando perdí la vista no me importó demasiado, porque los señores me regalaron el violín para consolarme».

Así, David, uno de los personajes más desasosegados de todo el teatro de Buero, vive en un mundo oscuro que es un constante hervidero de ideas frustradas, mientras que la música es tanto su consolación como el único puente posible entre él y el mundo de fuera de su mente: es decir, la sociedad de los videntes. Su ceguera le impulsa hacia un mundo de sueños en el que la utopía personal de la orquesta de los ciegos representa su plena realización personal, pues busca integrarse en el mundo exterior a través de su mundo particular de ensueño musical. Pero ese mundo de sueños en el que vive David, como las estrellas que anhela ver el ciego Ignacio de *En la ardiente oscuridad,* se vuelve más amargo a medida que todo conspira a confirmar su aislamiento en la oscuridad, a hacer que él se sienta poco más que un animal enfermizo. Gran parte de la complejidad personal del personaje deriva del enajenamiento que le impone su torturada consciencia de ser sólo un objeto a merced de fuerzas y seres que, juntos, constituyen el dominio de los videntes. De modo que David está distanciado, tanto física como emocionalmente, de la expe-

---

[9]   Véase, por ejemplo, *Encyclopedia Britannica* (15.ª ed.), vol. 19, pág. 489.

riencia vital de los videntes. Como afirma Jean-Paul
Borel, «éste es el sentido profundo de nuestra ceguera:
la soledad»[10]. Pero no es menos cierto que, como
ocurre con tantos otros protagonistas de Buero que se
sienten tremendamente solos, herederos de los luchado-
res del teatro de Ibsen, la soledad es el precio que paga
David por el difícil privilegio de ver con lucidez en el
mundo de los ciegos.

Por tanto, sumergido en esta soledad, David siempre
se muestra a la defensiva, siempre preparado para em-
plear su bastón de ciego como instrumento de agresión.
Hay por lo menos cinco referencias o incidentes que
demuestran la capacidad que tiene David para defender-
se con el bastón, y que contrastan marcadamente con la
frase despectiva de Lucas —«palos de ciego»— tras la
cual se vislumbra la corrosiva sensación de no valer para
nada. Está claro que el dramaturgo confía en la profe-
sionalidad de un buen actor para comunicar al público,
con el solo uso del bastón, la actitud de David para con
la vida. Su nerviosa energía, que raya a veces en la
agresividad, la respuesta perfectamente inteligible de
aquel que emprende una carrera metáforica en la oscuridad en lugar de tantear el camino, se hace notar sobre
todo en las relaciones que mantiene con las mujeres. En
este contexto, el dramaturgo hace constar cuidadosa-
mente que su protagonista tiene solamente un contacto
somero con el mundo afectivo de los videntes. Es como
si quedara excluido de toda experiencia trascendental
que la vida ofrece. Escucha un cuarteto de cuerda «bajo
los balcones de un palacio»; establece una frágil relación
paternal con Donato, la cual, como otras tantas relacio-

---

[10]   Jean-Paul Borel, «Prólogo» a Antonio Buero Vallejo, en *El
concierto de San Ovidio,* Aymá, Barcelona, 1963, pág. 11.

nes íntimas entre dos hombres en el mundo de Buero, se echa a perder a causa de una rivalidad amorosa; y, finalmente, tiene una experiencia de amor limitada a encuentros puramente sexuales, presumiblemente, como indica Adriana, con prostitutas: «Las pagas y te vas, ¿eh? ¡Un cerdo, como todos!» Como contrapeso a esta imagen de la mujer, David se nutre, en su herida e imaginación, de la figura de Melania de Salignac, una *Madonna* que le aguarda en el umbral del cielo particular con el que sueña, y por quien siente una devoción quijotesca: «Yo creo que es la mujer más hermosa de la Tierra.»

El hambre sexual de los ciegos es una consecuencia directa de su marginación social. En EL CONCIERTO DE SAN OVIDIO, del mismo modo que en otras obras como *Mito, Aventura en lo gris* y *El tragaluz,* Buero explota actitudes diferentes hacia las dos caras del amor, *eros* y *ágape,* o sea, el meramente sexual en contradistinción con el del compromiso emocional, para sugerir actitudes radicalmente opuestas para con el prójimo. Todo esto nos remite de nuevo, pero desde otra perspectiva, a ese momento de posible cambio cualitativo que constituye el momento histórico de EL CONCIERTO DE SAN OVIDIO: la lucha del sujeto por librarse de un *status* denigrante que le convierte en objeto. Al conocer por primera vez a Adriana, David parece tan culpable como Valindin por reducirla a esta condición. Es cierto que el empresario la tiene atrapada en lo que llama Ricardo Doménech su «juego de intereses» [11]. Ella hace el papel de esposa, pero sin gozar de ninguno de los derechos de una esposa oficial, como vemos al final de la obra cuan-

[11]   Ricardo Doménech, «Introducción» a Antonio Buero Vallejo, en *El concierto de San Ovidio* (junto con *El tragaluz),* Clásicos Castalia, Madrid, 1971, pág. 46.

do se tiene que marchar del apartamento pudiendo sólo «reclamar vuestros salarios atrasados, si los hubiere». Valindin endulza la amargura de esta posición social con frecuentes regalos, comprándole así a Adriana su lealtad, si no su amor. Ella también ha sido cautivada por los premios brillantes, y tiene tan poca libertad de acción como si fuera un animal domesticado, tal y como sugiere el apodo de «mi galga» que le pone Valindin [12]. De modo que cuando David se burla de ella con la referencia cruel a «la Du Barry», está diciendo claramente que para él es una prostituta de alta categoría.

David, tan lúcido en cuanto a la necesidad de romper el cerco de la injusticia, se muestra doblemente ciego ante el hecho de que Adriana esté no menos atrapada que él. Dicho de otra forma, la ve simplemente como un objeto más en la vida del empresario, y no como un sujeto, una persona que también sufre. Además, el sufrimiento común a los dos personajes —el hambre, el miedo, la explotación— crea un lazo existencial entre ellos, una solidaridad humana imposible en el mundo de la idealizada Melania de Salignac:

> ¿Prefieres seguir soñando con esa mujer a encontrar... una mujer de carne y hueso? A ti las mujeres... no te

---

[12]   En el grabado que inspiró *El concierto de San Ovidio* aparece, encima de la barraca, una inscripción que se traduce al castellano como «a la galga». Buero le añadiría luego el adjetivo «veloz», para darle así un nombre más completo a la barraca de Valindin. Pero el detalle también es importante en lo que se refiere a Adriana. Denota un paralelismo, en la mente del dramaturgo, entre la humillación de los ciegos y la forma de explotación más sutil que sufre Adriana. El apodo —«mi galga»— que le pone Valindin está a punto de convertirse en realidad cuando éste amenaza con atarla como un animal para que ella no le abandone.

> asustan, eso se nota. Pero no te fías de ninguna. De
> nadie. Es otro susto el que tú tienes, ¿verdad? Te asusta
> la vida entera. [...] Y por eso sueñas con tu Melania.
> Pero ¿qué puede tu Melania? ¿Qué es capaz de hacer
> esa damisela remilgada y rodeada de criados al lado de
> una mujer entera y verdadera?

De hecho, el sufrimiento compartido de David y Adriana sobrepasa los límites materiales. Al recordar Adriana
a Valindin que «prefería cantar y bailar» está haciéndose
eco del desesperado «¡yo tengo que tocar!» de David.
Buero revela así a través de la experiencia de ambos que
el verdadero precio de la ética empresarial, que hace de
la cantante una camarera y del músico un payaso y,
luego, un asesino, son las aspiraciones rotas. Sólo cuando Adriana se ofrece a acostarse con Donato en un
intento de librarle de su angustia sexual, David logra,
finalmente, verla como una persona. Dicho de otra forma, David, que ha explotado y convertido en objeto a
otras mujeres, se da cuenta repentinamente de que la
prostituta también sufre. Es una escena crucial en el
largo camino de David hacia la liberación de su propia
ceguera metafórica y hacia la capacidad de reconocer la
existencia del sufrimiento de los demás, videntes o ciegos. De esta forma, David experimenta la compasión
que en el teatro de Buero siempre se constituye como
fundamento del amor, es decir, la subjetivización del
prójimo. Pero la escena también es importante porque
lleva a la violenta confrontación entre Valindin, Adriana y los dos ciegos, agudizando de forma repentina la
observación más considerada de David unos momentos
antes: «¡Cuántas cosas necesitan remedio!» Cuando David se enfrenta por última vez con Valindin, lo hace para
vengarse por la terrible y humillante serie de conciertos de San Ovidio; lo hace para librarse a sí mismo y

a Adriana; pero también, como sostiene Doménech, lo hace en defensa del hombre [13], en defensa de esa nueva humanidad que él acaba de descubrir dentro de sí mismo.

Al igual que los investigadores de *El tragaluz,* que recuperan mediante su alta tecnología la vida oscura de un viejo loco, Buero rescata de un sinfín de posibilidades históricas al ciego David para descubrir en el pasado las semillas del futuro. La lucha de este ciego, su final reconocimiento del derecho a la subjetividad, señalan lo que vengo llamando un cambio cualitativo en la historia humana. Adriana también viaja por este camino laborioso, aunque de forma mucho más rápida que el desconfiado David. En un principio, ella también comparte la ceguera de su sociedad (recordemos que Buero siempre se propone demostrar cuánta historia lleva el ser humano dentro de sí, para bien y para mal), asegurando a Valindin que «¡Esa tropa de ciegos va a ser horrible!», no porque sean mendigos, lo que quizá sería el *apartheid* de nuestra sociedad, sino porque son ciegos. Su asombrada pregunta a Donato, «Pero vosotros... ¿amáis?», refleja la negativa rotunda de su sociedad a conceder a estos hombres los plenos derechos del ser humano. Pero su sensibilidad artística no tarda en reaccionar ante el violín de David, es decir, ante la expresión del mundo interior que él no se atreve a articular de otra forma, y de pronto se abre ante ella todo un mundo de experiencia nueva.

Atrapados entre dos sistemas conflictivos —el uno que predica que el individuo es un piñón más en un

---

[13]   Véase, especialmente, Ricardo Doménech, *«El concierto de San Ovidio,* o una defensa del hombre», *Primer Acto,* 38, diciembre de 1962, págs. 14-17.

engranaje cósmico, y el otro que vende con facilidad su convicción de que el provecho material le quita al hombre su sentido de meta individual— David y Adriana crean un amor que desafía las fuerzas abrumadoras que les confrontan. Es un amor que perdura como una imagen de la potencialidad humana a pesar de la ceguera de lo antiguo y el egoísmo de lo nuevo. En este contexto, las palabras quizá más conmovedoras de toda la obra, pronunciadas por Adriana a David, asumen su verdadero significado. Dice, sencillamente: «Nuestros hijos verán.»

EL ESPECTADOR ES RECLAMADO A ESCENA.

Este enfoque de un momento histórico en el que, por expresarlo en sus términos más sencillos, lo nuevo se está esforzando por librarse de lo antiguo, permite al dramaturgo explotar las actitudes contemporáneas de su público para recordarles que la historia no es una baraja de hechos e incidentes sueltos, sino un proceso que sigue en plena evolución en nuestros días. Es un proceso al que el espectador tiene la obligación de contribuir, y no estorbar con actitudes reaccionarias, enraizadas en un pasado desacreditado. El análisis, que Buero nos presenta, de una lucha amarga, hoy más o menos resuelta, es decir, la plena integración de los ciegos dentro de la sociedad, le concede la oportunidad de situar a su espectador en la banda de los revolucionarios. La convicción de David de que «todo es querer», crea un puente con las palabras finales de Valentín Haüy, quizá la frase clave de toda la obra: «el hombre más oscuro puede mover montañas si lo quiere». Así, los dos personajes recuerdan al espectador la gran esperanza humana, que también es intrínseca al teatro de Bertolt Brecht, de que el cambio es siempre una posibilidad, y de que la voluntad del ser humano es siempre una fuerza potencial para la transformación de nuestra sociedad.

Esta conclusión establece una de las lecciones fundamentales no sólo de EL CONCIERTO DE SAN OVIDIO, sino del teatro de Buero tomado en su conjunto. Fue, desde luego, una enseñanza importante en los años franquistas en que muchos españoles se sentían impotentes para contribuir a las decisiones que moldeaban su existencia. Pero no es menos importante en una Europa cada vez más cercada por un pesimismo histórico agudizado por la amenaza perenne de las tensiones entre bloques. El resultado de este pesimismo, la idea de que el hombre moderno, como los ciegos de EL CONCIERTO DE SAN OVIDIO, está encerrado en una situación en la cual los sucesos parecen tener su propio ímpetu, en contra siempre de los intereses íntimos del individuo, se traduce en un creciente alejamiento de los asuntos de índole colectiva. Los hombres de nuestra sociedad se refugian cada vez más en el mundo de lo privado. Cada vez se hacen más interesados para compensar así la reducida esfera de influencia que se les va imponiendo. El sociólogo norteamericano C. Wright Mills, en su obra *La imaginación histórica,* se refiere a esto como «la sensación de la trampa» que atrofia constantemente la voluntad del ser humano de crearse a sí mismo y, a través de esto, crear su mundo. El paralelo con los pobres ciegos del Quince Veintes queda bien claro.

En este sentido podemos decir que EL CONCIERTO DE SAN OVIDIO se concibió como una especie de estímulo para la imaginación histórica de su espectador. Tal conclusión nos ayuda a entender el último nivel de significado de la «parábola», en cuyo centro la vida de David asume cierto paralelismo con la de Cristo. Está claro que resulta una comparación fácil en el caso de cualquier figura ejemplar que sufra el martirio, sobre todo si éste viene acompañado por el grado de pasión que imbuye los últimos momentos de David con Adriana. Pero hay en el texto de la obra ciertas indicaciones que parecen corroborar dicho paralelismo. En términos amplios, David evoca el espíritu de la declaración mesiánica de Ignacio, en *En la ardiente oscuridad,* de que quiere «traer guerra, y no paz». Más específicamente, no es difícil ver a David como el líder de un grupo de patéticos apóstoles, de los cuales el Judas es Donato. De hecho, así le llama Adriana en el momento de su traición a David. Adriana misma viene a ser una nueva María Magdalena cuya victoria consiste en abandonar su condición de objeto sexual para llegar a subjetivizar su entorno en un acto de amor creativo. El mensaje cristiano encarnado en el propio David, se ve reflejado en su intento de enseñar a los ciegos que el futuro puede ser conquistado a través de un acto de fe, y en la osadía de creer que «el hombre más oscuro puede mover montañas si lo quiere».

En todo esto hay un elemento bien claro de ese utopismo que encontramos en muchas obras de Buero, evidente, sobre todo, en *El tragaluz.* A lo largo de la obra David cambia los parámetros de esta utopía —la orquesta de los ciegos—, yendo de la remota figura de Melania de Salignac a una fe más factible, la esperanza de que las generaciones venideras se puedan liberar. Su triste «otros lo harán» refleja la profunda tragedia de sus propias circunstancias, pero, para el público de nuestros días, también atestigua una utopía que se ha hecho realidad. Son palabras que dan fe de que la historia puede moverse, que los sueños aparentemente más imposibles pueden llegar a ser aceptados como una realidad cotidiana. Ésta es la esperanza a la cual la humanidad tiene que agarrarse si no quiere abandonar su propio futuro.

Mediante el utopismo de David, Buero demuestra cómo la fe en un nuevo futuro también sirve para interrogar fundamentalmente al presente, penetrando con la fluidez de la poesía por entre los mecanismos defensivos erigidos por la sociedad para protegerse del cambio, mecanismos que, como vemos en EL CONCIERTO DE SAN OVIDIO, van del negativismo al pragmatismo, del así llamado sentido común a las amenazas de violencia. Por atraverse a imaginar lo inimaginable —«Siempre habré pensado yo lo que vosotros no os atrevíais a pensar. Siempre aprenderé yo cosas que vosotros no os atrevéis a saber», declara David a sus compañeros ciegos—, por saber que la calidad de nuestro futuro se origina en la naturaleza de nuestros esfuerzos de aquí y ahora, la utopía de David cuestiona de la forma más difícil la sociedad en la que él vive. Así, podemos ver claramente que la obra se sitúa sobre dos ejes interactivos, que también lo son del pensamiento marxista: son, en concreto, los elementos que el joven Marx sacó de sus primeras lecturas de Hegel. Sosteniendo la dicotomía «objeto/sujeto», hallamos la dimensión temporal (o histórica) del «es/debe ser».

LA LUZ Y LA OSCURIDAD COMO ELEMENTOS ESTRUCTURALES

Ningún otro momento de la obra ilustra de forma tan emotiva la relación entre estos dos ejes como el breve segundo acto. Si bien es cierto que, a partir de *Un soñador para un pueblo,* Buero optaba por la división algo más brechtiana de sus obras en dos partes, es interesante destacar que en EL CONCIERTO DE SAN OVIDIO ha recurrido de nuevo a los tres actos. El propósito de ello es resaltar la importancia de la escena del concierto, que se configura como un momento clave de la obra. El hecho de que este acto empiece sólo «momentos después de caer el telón del primer acto» hace que la acción se enlace estrechamente con lo que ha pasado antes y que sirva para sugerir al espectador que algo importante está a punto de ocurrir. De hecho, por medio de esta escena del concierto, una actuación dentro de la actuación en sí de la obra que presenciamos, Buero no sólo recreará la humillación de los ciegos, sino que también desafiará a su público a identificarse o no con los espectadores burgueses que pululan por la barraca de Valindin.

Como ocurre en otros momentos de la obra, Buero usa la música para poner de manifiesto tanto el significado como el ambiente de la escena. En este caso es la «viva y machacona melodía» del concierto lo que subraya la degradación de los ciegos, convirtiéndose en el colofón musical a la primera parte del acto, cuando se tienen que poner los trajes ridículos que les convertirán en objetos de risa fácil ante un público de videntes. El movimiento dramático de este segundo acto, por lo menos en lo tocante a los ciegos, crea un estrecho paralelo con el del primero. Ambos actos comienzan presentando a los ciegos en términos de una identidad colectiva circunscrita por una serie de apetitos y miedos característicos. Al principio de la obra su mundo ha sido definido, enmarcado en las cortinas oscuras, por medio del coro de oraciones latinas, y, como ya hemos visto, su salida nerviosa a una nueva vida, amenizada por el *allegro* de Corelli, se presenta escénicamente mediante la transformación de un entorno sombrío, pero seguro, en el mundo luminoso y acomodado del empresario.

De forma parecida, el segundo acto empieza con el grupo —David destaca de nuevo, esta vez por su ausencia— sentado delante de unas cortinas negras, definiéndose de nuevo su entorno precisamente por la falta de detalles visibles. Aquí, en este mundo aparte, los ciegos recobran algo de seguridad. Al igual que sucedía en *En la ardiente oscuridad,* el dramaturgo muestra que a veces el ciego capta la realidad con más rapidez que el vidente. Antes de que el público oiga nada, ellos ya han oído acercarse a dos personas. Es importante notar que la acotación «Se acerca un garrote» sólo aparece después del siguiente intercambio:

> ELÍAS.—Ya vienen los otros.
> LUCAS.—Sólo es un garrote.
> ELÍAS.—Pero dos personas.

El nerviosismo de los ciegos, como en el primer acto, deriva de los pasos que tienen que dar en el mundo de los objetos, un entorno hostil creado por y para los videntes. De modo que al abrirse las cortinas para revelar la barraca, descrita, al igual que el apartamento de Valindin, con todo lujo de detalles, los ciegos se ven reducidos de nuevo a la indecisión y la inseguridad. De esta forma, la disposición escénica de los dos primeros actos ayuda a crear una fuerte impresión de dos mundos y dos actitudes ante la vida que son diametralmente opuestos. En el tercer acto esta oposición escénica se amplía hasta abarcar la tensión entre la opulencia de la casa de Valindin y la calle donde Lefranc y Bernier se permiten hacer comentarios que hubieran sido impensables de puertas adentro. De esta hábil forma, Buero no sólo utiliza el espacio escénico de la obra para confirmar la relación entre los ciegos y las otras víctimas videntes de Valindin, sino que también plasma el contraste entre el mundo de los acomodados y el de los desposeídos que iba a cristalizar en la revolución.

Todo esto va preparando el camino a esa escena maravillosamente dramática en la cual David aprovecha la oscuridad total para enfrentarse con Valindin por última vez. El movimiento de los ciegos temerosos, desde la seguridad de su mundo oscuro hasta su torpeza física y emocional en el mundo de los videntes, ha sido contrastado, y hasta cierto punto redimido, por el lento camino de David (y de Adriana) hacia la luz del entendimiento. Aquí también hay un importante paralelismo entre el final del primer acto y el del segundo. En el primero es Adriana, brindando con su amante por el éxito de su proyecto, quien parece, por lo menos a los ojos del empresario, bien comprada y bien controlada, y en el segundo es como si la voluntad de lucha de David hubiera sido atrofiada por su preocupación por Donato. Pero, en ambos casos, esta última humillación ha conducido a una nueva rebeldía. De ahora en adelante David se hará valer cada vez más, mientras que el mundo personal de Valindin irá decayendo, viéndose contrariado, desafiado e, incluso, agredido por David, y abandonado sentimentalmente por Adriana. Así que a medida que David crece en confianza y entendimiento, Valindin se pierde cada vez más en la noche oscura de la soledad y las borracheras. Cuando se enfrentan en la oscuridad de la barraca, la clara superioridad moral del ciego se traduce, por primera vez, en la superioridad física, implícita cuando se jactaba ante Adriana de que «Conozco este camino mejor que tú. Puedo andarlo sin luz». De esta forma, en EL CONCIERTO DE SAN OVIDIO, la luz y la oscuridad no sólo proporcionan la metáfora central de la obra, sino que se convierten en la principal área de experiencia, dramática para el público y existencial para los personajes.

SENTIDO FINAL DE LA PARÁBOLA

De repente, hacia el final, el ritmo dramático de la obra se acelera con dos escenas intercaladas, la de las íntimas confesiones de David y Adriana, y la de un Donato aterrorizado en manos de la policía. En el momento en que el personaje menos lo espera, y el público menos lo desea, David es detenido y amenazado con la tortura y posterior ejecución. Buero Vallejo es un dramaturgo que desde su primera obra estrenada, *Historia de una escalera,* siempre ha sabido manipular las emociones de su público. Ahora, en este momento climático de EL CONCIERTO DE SAN OVIDIO, todo el teatro parece sumergido en el dolor. Parece que todo está perdido y, en un sentido por lo menos, lo está. Pero en medio del silencio aparece Valentín Haüy para llenar la sala con su palabra «sencilla y serena». Recordemos, en este instante, que en la breve historia de los Quince Veintes que Buero ha añadido a las versiones publicadas de la obra, el propio autor ha establecido una conexión entre los ciegos y Haüy, tanto en la realidad como en su imaginación creativa, al escribir que «las andanzas de un grupo de ellos [los ciegos] determinaron sin saberlo el destino de un gran hombre y motivan esta historia». Entonces, es la figura de Valentín Haüy quien, por medio de algunas de las palabras más bellas de todo el teatro de Buero, completa la obra, poniendo de manifiesto su último nivel de significado. De esta forma, usando los escritos de Haüy, fielmente traducidos y señalados en el texto por la acotación *(Lee.)*, junto con los pensamientos y emociones que el dramaturgo atribuye a su personaje, señalados por *(Levanta la vista.)*, Buero reafirma tanto la forma como el fondo de su parábola.

Un elemento crucial en esta parábola, como vengo señalando desde un principio, es la cuestión de la tragedia. De acuerdo con el concepto que Buero tiene de ella, la tragedia desde sus orígenes griegos no ha intentado comunicar desesperación ni tampoco sensación de imposibilidad, que es algo que hallamos en un escritor como Eugene O'Neill, cuya obra a veces se tambalea peligrosamente al borde del teatro patético. Si EL CONCIERTO DE SAN OVIDIO fuese a terminar con la muerte de David, se estaría acercando a este tipo de teatro que, desde luego, posee su propia fuerza sombría. Pero el propósito de la tragedia es mucho más desafiante. Su reto es el de encontrar una esperanza factible, una esperanza que nos ayude a seguir adelante, en medio de la aparente desolación. Vivimos en una época en la cual la verdadera esperanza, la combativa, es difícil; por ello la tragedia cobra cada vez más relieve. El respeto a la realidad hace que esa esperanza venga teñida de dudas, pero nuestro futuro, colectivo y personal, nos exige no dejar que su luz se apague.

En el momento en que el público experimenta su máxima duda acerca de la capacidad de cualquier individuo para luchar contra las circunstancias que le oprimen, aparece Valentín Haüy para reavivar la débil llama de la esperanza. Volviendo a nuestro análisis de un David mesiánico, podríamos ver a Haüy como un San Pablo, cuya repentina iluminación ocurrió no en el camino de Damasco, sino en la barraca de Valindin. Es él quien conforma la inquietante cuestión de la responsabilidad ética que nos plantea la obra. Su pregunta, «si ahorcaron a uno de aquellos ciegos, ¿quién asume ya esa muerte? ¿Quién la rescata?» nos remite a la contemplación universal del destino individual, como ha de hacer la tragedia. Pero también resalta la importancia de la experiencia individual, en este caso el sueño, la pasión y la prematura muerte de un ciego llamado David, defendiéndola del tipo de trivialización que le imponen tanto el autoritarismo como el consumismo. Es una pregunta a la cual la obra misma da contestación, aunque el propio Haüy no tuviera conciencia de ello, por el hecho de que Donato esté tocando el adagio que el espectador ha venido asociando con David. De esta forma, el dramaturgo evita que la acción propiamente dramática termine antes del parlamento final de Haüy, y evoca a través de esa situación última el complejo de culpabilidad que abruma a Donato. Pero ésta es la imagen de una expiación inútil, de un dolor cerrado. La pregunta de Haüy también va dirigida al público, sugiriéndonos que si las pequeñas y grandes libertades que damos por supuestas hoy en día, se han logrado a través del sacrificio de un ejército de hombres oscuros, nosotros tenemos la obligación de redimir esos sacrificios con la continuación de su lucha.

Las palabras finales de Haüy, «Cuando no me ve nadie, como ahora, gusto de imaginar a veces si no será... la música... la única respuesta posible para algunas preguntas...», están imbuidas de una riqueza poética que es, a la vez, fuente de su fuerza dramática. Por un lado, el personaje está describiendo la poderosa atracción de la *vita contemplativa,* donde se reúnen las fuerzas personales necesarias para volver a la brecha. La música fue siempre el gran amor de Haüy y David (es interesante notar aquí que Valindin confiesa no saber apreciar la música), y a lo largo de la obra se asocia con la sensibilidad humana y la capacidad, la valentía, de soñar. Entonces, las palabras de Haüy tiene un valor profundamente ético, hablándonos de la necesidad de proteger y enriquecer nuestra vida íntima, pero recordándonos también nuestra obligación de participar en la conquista del futuro.

El teatro se hace necesario, sobre todo, cuando da voz a lo que no la tiene, especialmente a toda aspiración que el lenguaje de la política trata de suprimir con su triste apelación a un sentido común que raras veces sobrepasa el nivel del prejuicio. Los tiempos oscuros, los gritos de ¡silencio!, son frecuentes en nuestra historia humana. El teatro de Buero Vallejo siempre ha alzado su voz de protesta contra las injusticias, advirtiendo de los peligros de la miopía y la ceguera, que son el resultado de vivir en tanta oscuridad. Sin embargo, incluso viviendo en ella tenemos derecho a buscar momentos de iluminación. EL CONCIERTO DE SAN OVIDIO, escrita en tiempos sombríos y ambientándose en otros tiempos igual de oscuros, nos demuestra que es posible que esa iluminación provenga menos de las grandes teorías y los conceptos elaborados que de la luz débil e incierta de seres humanos individuales que se afanan bajo las circunstancias cotidianas más difíciles. A través de la luz que arroja una persona de tantas, Valentín Haüy, Buero no sólo redime el dolor de aquel terrible «ultraje a la humanidad», sino que también, como Galileo confrontado por la Inquisición, lanza su propia versión de «e pur si muove». A pesar de todo, la historia sigue en marcha.

DAVID JOHNSTON.

BIBLIOGRAFÍA SELECTA

A. EDICIONES.

El concierto de San Ovidio, Parábola en tres actos, en *Primer Acto,* 38, diciembre de 1962. Escelicer, Col. Teatro, 370, Madrid, 1963. Aymá, Colección Voz Imagen, 1, Barcelona, 1963, Prólogo de J. P. Borel. *Teatro Español 1962-63,* Aguilar, Col. Literaria, Madrid, 1964. Ed. Pedro N. Trakas, Charles Scribner's Sons, Nueva York, 1965, Introducción de Juan Rodríguez Castellano. *Teatro Selecto* (junto con *Historia de una escalera, Las cartas boca abajo, Un soñador para un pueblo* y *Las Meninas*), Escelicer, Madrid, 1966, Introducción de Luce Moreau Arrabal. Ed. Ricardo Doménech (junto con *El tragaluz*), Clásicos Castalia, Madrid, 1971. *Teatro Español,* 6, Madrid, 1986 (junto con artículos, *inter alia,* de G. Torrente Ballester, L. Iglesias Feijoo, Juana Salabert, y una entrevista con el propio autor).

B. ESTUDIOS.

A.A. V.V.: *Antonio Buero Vallejo, Premio «Miguel de Cervantes» 1986,* Barcelona, Anthropos-Ministerio de Cultura, 1987.

BEJEL, EMILIO: *Buero Vallejo: lo moral, lo social y lo metafísico,* Montevideo, Instituto de Estudios Superiores, 1972.

BOREL, JEAN-PAUL: *El teatro de lo imposible,* Madrid, Guadarrama, 1966, págs. 225-278.

BUERO VALLEJO, ANTONIO: *Teatro,* Madrid, Taurus, 1968. Contiene *Hoy es fiesta, Las Meninas* y *El tragaluz,* además de importantes estudios.

CORTINA, JOSÉ RAMÓN: *El arte dramático de Antonio Buero Vallejo,* Madrid, Gredos, 1969.

Cuadernos de Ágora, 79-82, mayo-agosto de 1963: Número monográfico sobre Buero.

DOMÉNECH, RICARDO: *El teatro de Buero Vallejo,* Madrid, Gredos, 1973.

DOMÉNECH, RICARDO, ed.: *«El concierto de San Ovidio» y el teatro de Buero,* Teatro Español. En prensa.

DOMÉNECH, RICARDO: *«El concierto de San Ovidio, o una defensa del hombre»,* Primer Acto, 38, diciembre de 1962, págs. 14-17.

DOWD, CATHERINE ELIZABETH: *Realismo trascendente en cuatro tragedias sociales de Antonio Buero Vallejo,* Valencia, Estudios de Hispanófila, University of N. Carolina, 1974.

Estreno, 5, 1979: Número monográfico sobre Buero.

GAGEN, DEREK: «The germ of tragedy: the genesis and structure of Buero Vallejo's *El concierto de San Ovidio»,* Quinquereme, 8, 1985, págs. 37-52.

GONZÁLEZ-COBOS DÁVILA, CARMEN: *Antonio Buero Vallejo: el hombre y su obra,* Salamanca, Universidad de Salamanca, 1979.

HALSEY, MARTHA, T.: *Antonio Buero Vallejo,* Twayne, Nueva York, 1973.

IGLESIAS FEIJOO, LUIS: *La trayectoria dramática de Antonio Buero Vallejo,* Santiago, Universidad de Santiago de Compostela, 1982, págs. 340-364.

JOHNSTON, DAVID: *Antonio Buero Vallejo. El concierto de San Ovidio,* Londres, Grant & Cutler, Critical Guides to Spanish Texts, 1989.

JOHNSTON, DAVID: «Posibles paralelos entre la obra de Unamuno y el teatro "histórico" de Buero», *Cuadernos Hispanoamericanos,* 386, 1982, págs. 340-364.

JORDAN, BARRY: «Patriarchy, sexuality and Oedipal conflict in Buero Vallejo's *El concierto de San Ovidio*», *Modern Drama,* 28, 1985, págs. 431-450.

MATHIAS, JULIO: *Buero Vallejo,* Madrid, EPESA, 1975.

MÜLLER, RAINER: *Antonio Buero Vallejo. Studien zum Spanischen Nachkriegstheater,* Colonia, Universidad de Colonia, 1970.

NICHOLAS, ROBERT L.: *The tragic stages of Antonio Buero Vallejo,* Estudios de Hispanófila, University of N. Carolina, 1972.

PACO, MARIANO DE, ed.: *Estudios sobre Buero Vallejo,* Murcia, Universidad de Murcia, 1984.

PAJÓN MECLOY, ENRIQUE: *Buero Vallejo y el antihéroe. Una crítica de la razón creadora,* Madrid, 1986.

PUENTE, PILAR DE LA: «El teatro histórico de Buero Vallejo», *El Urogallo,* 2, 1970, págs. 90-95.

RUGGERI MARCHETTI, MAGDA: *Il teatro di Antonio Buero Vallejo o il processo verso la verità,* Roma, Bulzoni, 1981.

RUPLE, JOELYN: *Antonio Buero Vallejo. The first fifteen years,* Nueva York, Eliseo Torres & Sons, 1971.

VERDÚ DE GREGORIO, JOAQUÍN: *La luz y la oscuridad en el teatro de Buero Vallejo,* Barcelona, Ariel, 1977.

EL CONCIERTO DE SAN OVIDIO

PARÁBOLA EN TRES ACTOS

A VICTORIA,
por su compañía
y su ayuda impagables.

Esta obra se estrenó el 16 de noviembre de 1962, en el Teatro Goya, de Madrid, con el siguiente

REPARTO

(Por orden de intervención)

Pepe Calvo	LUIS MARÍA VALINDIN, negociante
María Rus	LA PRIORA DE LOS QUINCE VEINTES
Amalia Albadalejo .	SOR LUCÍA
Elena Cozar	SOR ANDREA
Francisco Merino ...	GILBERTO, ciego
Pedro Oliver	LUCAS, ciego
Avelino Cánovas ...	NAZARIO, ciego
Manuel Andrés	ELÍAS, ciego
Félix Lumbreras	DONATO, ciego
José María Rodero .	DAVID, ciego
Luisa Sala	ADRIANA, moza de mala fama
Carmen Ochoa	CATALINA, criada
Emilio Menéndez ...	JERÓNIMO LEFRANC, violinista
José Segura	IRENEO BERNIER, calderero
Antonio Puga	LATOUCHE, comisario de Policía
Alberto Fernández .	DUBOIS, oficial de Policía
Asunción Pascual ..	BURGUESA
Beatriz Farrera	DAMISELA 1.ª
Araceli Carmena	DAMISELA 2.ª
Soledad Payno	DAMISELA 3.ª
Jesús Caballero	PISAVERDE
Carlos Guerrero	BURGUÉS
Sergio Vidal	VALENTÍN HAÜY
	VOCES DEL HOSPICIO Y DEL CAFÉ.

En París, del verano al otoño de 1771.
Derecha e izquierda, las del espectador.

Dirección: JOSÉ OSUNA.
Decorados y figurines: MANUEL MAMPASO.
Música de *Corina*: RAFAEL RODRÍGUEZ ALBERT.

NOTA.—Por imperativos de horario, se suprimieron en las representaciones del *El concierto de San Ovidio* todas las frases y fragmentos que en la presente edición figuran encerrados entre corchetes.

ACTO PRIMERO

San Luis de Francia fundó en el siglo XIII el Hospicio de los Quince Veintes para dar cobijo a trescientos ciegos de París. Miente la leyenda que la fundación fue hecha por el rey para recoger allí a trescientos de sus caballeros, cegados en la Cruzada. Mas el Hospicio no se creó para nobles, sino para mendigos, y mendigos siguieron siendo, siglo tras siglo, casi todos los desvalidos invidentes que en él encontraron amparo. En la Edad Moderna la Institución conoció, no obstante, prósperos tiempos. Las bulas y edictos a su favor de papas y reyes, el acopio de legados, mandas y limosnas, la volvieron poderosa, y sus rectores hubieron de reprimir el lujo con que llegaron a vestir los pensionistas. La venerable fundación ha llegado hasta nuestros días y se encuentra hoy en el antiguo cuartel de los mosqueteros negros, cerca de la plaza de la Bastilla, lugar donde fue trasladada en 1780. Nueve años antes, el Hospicio de los Quince Veintes se hallaba en Champourri, donde fue fundado: terreno vecino al claustro de San Honorato que hoy ocupa en parte la plaza del Carrousel. Por concesión regia, el desaparecido edificio multiplicaba en aposentos y utensilios las lises francesas, que también ornaban las ropas de los acogidos. Pero la limosna no deja de ser el principal

medio de vida de los ciegos, y en el siglo XVIII una gran
parte de los flordelisados pensionistas sigue mendigan-
do. Del Hospicio a la Feria de San Ovidio, que se cele-
braba desde aquel año en la que es hoy plaza de la
Concordia y era entonces la plaza de Luis XV, las andanzas de un grupo de ellos determinaron sin saberlo el
destino de un gran hombre y motivan esta historia. La
calle se supone a veces en el primer término. En el resto
del escenario, elevado mediante un entarimado con uno
o dos peldaños, el Hospicio, la casa de Valindin y la
barraca de la Feria son sugeridos sobriamente según lo
requiere la acción

> *(Antes de alzarse el telón se oye rezar a un
> coro de hombres y mujeres. El telón se levan-
> ta sobre una sala del Hospicio: grandes cor-
> tinas azules, salpicadas de flores de lis, pen-
> den tras los peldaños del entarimado. De
> cara al proscenio y a la derecha, la* PRIORA,
> *en pie e inmóvil. Es una dama de fría mira-
> da, vieja y magra, que parece pensativa. Tras
> ella, cerca de los peldaños, dos monjas. A la
> izquierda, el señor* VALINDIN, *sonriente, ob-
> serva a la* PRIORA. *Es un cincuentón recio y
> de aire resuelto, con los cabellos sin empol-
> var. Viste negra casaca de terciopelo con bo-
> tones de plata, botas de media caña con vuel-
> tas claras y tricornio negro con fino galón
> plateado, que sostiene bajo su brazo derecho
> mientras con la izquierda acaricia el pomo
> del espadín que ciñe.)*

VOCES.—*Pater noster qui est in coelis, sanctificetur
nomen tuum, adveniat regnum tuum, fiat voluntas tua
sicut in coelo et in terra.*

Panem nostrum quotidianum da nobis hodie, et dimitte nobis debita nostra sicut et nos dimittimus debitoribus nostris.

Et ne nos inducas in tentationem, sed libera nos a malo. Amen.

VOZ.—Un Avemaría por nuestro muy amado rey y protector Luis XV y por todos los príncipes y princesas de su sangre. *Avemaría...*

VOCES.—*...Gratia plena, Dominus tecum, benedicta Tu in mulieribus et benedictus fructus ventris tui, Iesus. Sancta María, Mater Dei, ora pro nobis peccatoribus, nunc et in hora mortis nostrae. Amen.*

VOZ.—*Gloria Patri, et Filio, et Spiritui Sancto.*

VOCES.—*Sicut erat in principio, et nunc et semper, et in saecula saeculorum. Amen.*

VALINDIN.—¿Y bien, madre?

(Sin mirarlo, la PRIORA *le ordena silencio levantando la mano.)*

VOZ.—*Benedic, Domine, nos et haec tua dona quae de tua largitate sumus sumpturi. Per Christum Dominum nostrum.*

VOCES.—*Amen.*

(Una pausa.)

PRIORA.—¿Se han sentado ya?

SOR LUCÍA.—*(Atisba por las cortinas.)* Ahora besan el pan, reverenda madre.

PRIORA.—*(Se vuelve hacia* VALINDIN.*)* Señor Valindin... Vuestro nombre es Valindin, ¿no?

VALINDIN.—*(Se inclina.)* Luis María Valindin, para servir a vuestra reverencia.

PRIORA.—Señor Valindin, nos habéis visitado a hora muy temprana. Ya veis que nuestros pobres pensionistas aún no se han desayunado.

VALINDIN.—Reverenda madre, confío en que sabréis perdonar mi manera de ser. Cuando discurro algo que creo beneficioso, cuido de no aplazarlo.

PRIORA.—*(Asiente.)* El señor barón de la Tournelle acredita esas palabras. Os describe en su carta como hombre emprendedor y eficaz...

VALINDIN.—No tanto, madre. A mi edad, aún no puedo decir que sea rico.

PRIORA.—Consolaos. Esta casa tampoco lo es y cuenta cinco siglos de edad.

[VALINDIN.—Por eso mismo... Si vuestra reverencia y ellos aprueban la idea, hoy podría quedar todo acordado.

PRIORA.—En esta casa no se puede caminar tan de prisa, señor Valindin.

VALINDIN.—Si me dieseis licencia para hablar con ellos...

PRIORA.—Es preferible que les hable yo antes.] *(Un silencio. Pasea y se detiene.)* ¿Sois músico, señor Valindin?

VALINDIN.—No, madre. Pero dispongo de músicos que van a ayudarme. [Las canciones ya están escritas y compuestas.]

PRIORA.—Vuestra idea es por demás extraña... [Esos seis hombres habrán de ensayar mucho. Y aun así, presumo que vuestro esfuerzo será baldío.] Vos no sabéis lo torpes que son estos pobrecitos.

VALINDIN.—Consienta vuestra reverencia en probar. Aquí mismo podremos ensayar, si lo preferís...

PRIORA.—Ni lo penséis. No conviene que los oigan los demás hermanos y hermanas. El empeño parece demasiado raro para ser sano. Espero que podréis ensayar en otro lugar...

VALINDIN.—En mi propia casa, madre. Resido en el quince de la calle Mazarino. *(Ríe.)* Aunque viajo a menudo, precisaba de mi cuartel general aquí: en Francia nada se logra si no es desde París.

PRIORA.—O desde Versalles.

VALINDIN.—*(Asiente.)* O desde Versalles. *(Suave.)* Así, pues, ¿accede vuestra reverencia?

PRIORA.—*(Se sobresalta.)* Yo no he dicho eso. *(Pasea. Se detiene.)* ¿Canciones profanas?

VALINDIN.—*(Suspira.)* [Vuestra reverencia no ignora lo que es una feria...] Son las que el público prefiere. También son profanas muchas de las [canciones] que ellos tocan y cantan por las esquinas...

PRIORA.—*(Seca.)* [Sí. Y bastante mal, por cierto. Pero] somos pobres, caballero. Francia pasa hambre y el Hospicio también la sufre. Contra nuestros deseos, hemos de tolerar esas licencias. Dios no consiente la ceguera de estos trescientos desdichados para perder sus almas, sino para que ofrezcan oraciones [por las calles, lo mismo que en los velatorios y las iglesias]. Ésta es casa de plegarias y de trabajo: desde que San Luis lo fundó, el Hospicio de los Quince Veintes ha vivido en la eternidad de la oración y de las sencillas faenas que nos dan el pan de nuestro horno o las telas de nuestros telares. Lo que no sea eso, es vanidad: habilidades, para las que tal vez algún ciego pueda mostrarse dotado, mas para las que ningún ciego ha nacido. Ellos han nacido para rezar mañana y tarde, pues es lo único que, en su desgracia, podrán hacer siempre bien. Pero el Hospicio ya no es lo que fue... Los legados, las mandas, cubren mal nuestras necesidades... Y estos pobrecitos han de sustentarse.

VALINDIN.—*(Da unos pasos hacia ella con los ojos húmedos; parece realmente conmovido.)* Palabras muy bellas y muy ciertas, madre... *(Se enjuga una lágrima.)* Perdonad. Peco de sensible... Pero lo que habéis dicho me llega al corazón. Vos sabéis que la idea que he tenido el honor de exponeros posee su cara espiritual, y [os empeño mi palabra de] que no es para mí la menos importante. Si la llevamos a cabo, no sólo me depararéis la alegría de ayudar con mi bolsa al sostén de esta santa casa de Dios, sino el consuelo de esas oraciones que los cieguecitos rezarán [cada año] por mi alma pecadora...

PRIORA.—*(Que le escuchó con frialdad.)* Vuestra propuesta me hace presumir, sin embargo, que sois partidario de las nuevas ideas.

VALINDIN.—¿Quién no en nuestro tiempo, reverenda madre? ¡Estamos en mil setecientos setenta y uno! [El mundo se ensancha y los hombres abren nuevos caminos de conocimiento y de riqueza.] ¡Ah, pero yo sé medirme! Nunca admitiré por eso los disparates de un Juan Jacobo o de un Voltaire, [y sé lo que debo a las santas verdades de nuestros mayores]. El señor barón de la Tournelle, que me honró siempre con su protección, os lo podrá atestiguar.

PRIORA.—[El señor barón es también uno de nuestros protectores más bondadosos y] su palabra siempre tiene fuerza en esta casa. Pero no me place vuestra idea, caballero.

VALINDIN.—Si pudieseis aplazar vuestra decisión... [No soy hombre de estudios y mi expresión es torpe, mas...]

PRIORA.—Tampoco os he dicho que la rechace. *(Perpleja.)* En conciencia, no sé si puedo hacerlo. *(Disgustada.)* Cuando se nos ofrece algo en bien de estos desheredados estamos obligadas a poner la mano...

VALINDIN.—*(Se acerca un poco más.)* Bien quisiera poderla llenar mejor, madre. Pero insisto en mi oferta, que es a cuanto puedo llegar: cien libras ahora y otras cien al cerrarse la feria. A no ser que prefiráis una parte sobre los ingresos...

PRIORA.—*(Lo mira súbitamente con ojos duros.)* [¿Qué estáis diciendo?] Esta casa no negocia. Esas doscientas libras representarán una manda para oraciones. Nada más.

VALINDIN.—*(Se inclina, contrito.)* Oraciones que yo, vuelvo a deciros, solicito y suplico.

> *(Un silencio, que cortan las* VOCES *tras las cortinas.)*

VOZ.—*Deus det nobis suam pacem.*

VOCES.—*Et vitam aeternam. Amen.*

PRIORA.—Antes de hablar con ellos, nada puedo deciros. [No debo decidir contra su voluntad.] Sor Lucía, acompañad al señor Valindin. *(SOR LUCÍA va al primer término izquierdo.)* Volved mañana, caballero. *(Sonríe fríamente y le tiende el rosario.)* Aunque sea a primera hora.

VALINDIN.—*(Lo besa.)* Gracias, reverenda madre. Dios os guarde.

SOR LUCÍA.—Seguidme, caballero.

> *(*VALINDIN *se inclina y sale tras la monja por la izquierda bajo la mirada de la* PRIORA. SOR ANDREA *atisba por las cortinas.)*

SOR ANDREA.—Se están colgando las latas de la limosna, reverenda madre.

PRIORA.—Traed aquí a los seis que citó ese caballero y dejadnos solos.

>   (SOR ANDREA *se inclina y sale por el centro de las cortinas. La* PRIORA *pasea, pensativa. Se oyen dos palmadas de* SOR ANDREA *que la distraen un segundo de su meditación y luego sigue su paseo.)*

SOR ANDREA *(Voz de).*—¡Atención! Manda la madre priora que se presenten los hermanos Elías, Donato, Nazario, David, Lucas y Gilberto... ¡Vengan aquí los hermanos Elías, Donato, Nazario, David, Lucas y Gilberto, de orden de la madre priora!... *(Rumor de garrotes que se acercan.)* ¡Por tercera vez, el hermano Gilberto!... ¡Vamos, presto! La madre priora está esperando.

>   (SOR ANDREA *reaparece y sostiene la cortina mientras entran los seis ciegos, a alguno de los cuales ayuda a bajar los peldaños.)*

PRIORA.—Adelante, hijos. *(Tiende la mano a* LUCAS, *que es viejo.)* Cuidado. Ya conocéis el escalón.

>   (Van bajando los ciegos. El último es GILBERTO, *que sonríe con aire inocente.)*

GILBERTO.—¡Madre priora, buenos días nos dé Dios!
LUCAS, ELÍAS y NAZARIO.—¡Téngalos muy felices nuestra madre!

>   (Tocándose unos a otros, se alinean ante la PRIORA.)*

PRIORA.—Gracias, hijos. *(Despide con un ademán a* SOR ANDREA, *que sale por las cortinas.)* ¿Por qué tardabas tú, pajarillo?

GILBERTO.—*(Ríe.)* ¡No me acordaba de mi nombre!

PRIORA.—¡Cabeza loca! [¡Procura entender tú bien lo que os voy a decir!

GILBERTO.—¡Si yo lo entiendo todo!

PRIORA.—*(Sonríe y le palmea el hombro.)* Claro que sí.] *(A los demás.)* ¿Qué tal sabía hoy la sopa?

NAZARIO.—*(Ríe.)* A poco nos supo.

PRIORA.—*(Grave.)* Cierto que no es abundante. *(Pasea. Los ciegos cuchichean. Se detiene.)* ¿Qué andáis murmurando?

NAZARIO.—Es la primera vez que se lo oímos, madre.

> *(La* PRIORA *sonríe sin gana, contesta con un gruñido y sigue paseando. La hilera de los seis ciegos aguarda. Al pronto no es fácil distinguirlos. Sus ojos sin vida, la cortedad de sus movimientos, las ropas seglares, que, si bien diferentes, se parecen entre sí por lo humildes y maltrechas, el cayado que trae cada uno y el rectángulo de tela azul con una flor de lis color de azafrán, emblema de los Quince Veintes que todos llevan cosido al pecho, contribuyen a confundirlos. Vienen todos destocados y, excepto* LUCAS, *llevan colgada del cuello con una cuerda la caja de hojalata para las limosnas, que descansa sobre el pecho bajo la flor de lis. Una observación más detenida permite advertir lo distintos que son.* LUCAS *es un viejo de cabellos grises y aire fatigado.* DONATO, *un mucha-*

cho que aún no cuenta diecisiete años, cuyos movimientos y sonrisas quieren ser desenfadados, pero carecen de aplomo y denuncian la inseguridad de la adolescencia. Su rostro no carecería de gracia si no fuese porque lo tiene atrozmente picado por las viruelas que lo dejaron ciego. NAZARIO es maduro y corpulento, de fuertes manos y ancha cara, donde también quedan algunas señales de viruela; cara sonriente y burlona por lo general, de pícaro de ferias. ELÍAS es un ciego flaco, de párpados cerrados sobre la atrofia de sus ojos, que, en cambio, nunca sonríe. GILBERTO ya no es un mozo: acaso tenga cuarenta años. Su fisonomía angulosa y trabajada posee cierta belleza dolorosa y viril; sus ojos, que bizquean un tanto, parecen a veces mirar. Mas todo ello contrasta con la risa boba, las infantiles inflexiones de la voz, la aniñada inocencia del meningítico. Finalmente, DAVID es un ciego de unos treinta y cinco años, pálido y delgado, cuyas bellas manos varoniles permanecen ahora quietas en contraste con las de sus inmóviles compañeros, que traicionan con sus leves palpaciones sobre las ropas la expectación con que aguardan las palabras de la PRIORA.)

PRIORA.—*(Se detiene ante ellos.)* ¿Y vuestros violines?

ELÍAS.—A la salida los tomamos.

PRIORA.—¿Sigues tú saliendo con el hermano Elías, Gilberto?

GILBERTO.—Sí, madre. Yo canto y él toca.

PRIORA.—¿Quién de vosotros recaudó más ayer?

NAZARIO.—Creo que fui yo. Veintidós sueldos.

PRIORA.—¿Y el que menos?

DAVID.—Yo, madre. Doce sueldos.

PRIORA.—¿Tú otra vez? ¿Cómo así?

DAVID.—Se me pasó el tiempo...

PRIORA.—*(Reprobatoria.)* Sin tocar.

DAVID.—Perdón.

PRIORA.—*(Grave.)* Son tus hermanos quienes te han de perdonar que, pudiendo recoger más que ellos, traigas tan a menudo menos.

ELÍAS.—¡Ahí le duele!

PRIORA.—Bien. Ya veis que no se recauda mucho: poco pueden darles los pobres a los pobres. Pero en septiembre se abrirá la feria de San Ovidio, que este año promete ser buena porque la van a instalar en la plaza más grande de París: en la plaza Luis XV.

NAZARIO.—¡Las ferias son el maná del pobre! En la de San Lorenzo saqué yo hace años un caudal.

ELÍAS.—[Descuidad, madre.] Nunca nos perdemos las ferias.

PRIORA.—Escuchadme bien. Nos ha visitado un tal Valindin, que va a abrir en la feria un café con orquesta. Y quiere presentar algo... que yo ni puedo imaginar, pero que he de deciros: una orquestina de ciegos. Vosotros.

ELÍAS.—*(Da un respingo.)* ¿Nosotros?

PRIORA.—Parece que os viene observando desde hace tiempo. Según dice, os enseñaría diversas canciones, y tú, Gilberto, cantarías la letra. Le he dicho [que sólo podéis aprenderlas de oído,] que no se os puede armonizar y que en nuestra misma capilla no lo pretendemos; pero él dice que cuenta con músicos que os enseñen. ¿Qué decís vosotros? *(Largo silencio.)* ¡Hablad!

ELÍAS.—Que hable el hermano Lucas.

LUCAS.—*(Titubea.)* ¿Se ha referido a mí también ese caballero? Yo no salgo a pedir.

PRIORA.—No sé cómo estaba enterado de que tocabas el violoncello antes de perder la vista y de que aún lo tocas alguna vez en la capilla. Te ha citado porque quiere alguna variedad en los instrumentos. Lucas, tú has tocado en orquestas...

[LUCAS.—*(Melancólico.)* La música se olvida.

PRIORA.—]Dinos [de todos modos] si crees posible lo que pretende el señor Valindin.

LUCAS.—*(Lo piensa.)* No. *(Suspira.)* Sin poder leer las partituras, los ciegos nunca lo harán.

PRIORA.—¿Qué pensáis los demás? *(Los mira uno por uno.* DAVID, *nervioso, se adelanta, pero no dice nada.)* ¿Qué ibas a decir, David?

[DAVID.—Quisiera saber... lo que piensa vuestra reverencia.

PRIORA.—Ya os lo he dicho. Lo mismo que Lucas.]

DAVID.—Yo creo...

(Calla.)

PRIORA.—Habla.

DAVID.—Vuestra reverencia no ha dicho todo lo que piensa.

(La PRIORA *lo mira fijamente. Luego desvía sus ojos y da unos pasos.)*

PRIORA.—Lo has adivinado. Pienso que ese señor [no es músico y que no sabe lo que quiere. Que] os despedirá al día siguiente de abrir la feria, si es que no

se arrepiente en los ensayos. [Que vuestra misión es
orar, no tocar canciones licenciosas...] Pero me pregunto si puedo arrebataros los beneficios que [ese caballero]
ofrece. Él os daría cuarenta sueldos diarios y las comidas. Algo más sabrosas, sin duda, que nuestra pobre
olla... *(Calla un momento.)* Además ofrece dejar al
Hospicio una manda para oraciones. Si accedéis, vuestros hermanos y hermanas de infortunio alcanzarán también alguna mejora. [Y eso, en cualquier caso: el acuerdo obligaría desde el primer ensayo y mientras le sirváis,
aunque prescinda de vosotros antes de abrir la feria...]
Pero confieso que no acierto a aconsejaros. *(Un silencio.)* Y tampoco vosotros sabéis qué pensar, ya lo veo.
Bien. Tenéis mi licencia para discutirlo aquí mismo
cuanto queráis. Al mediodía me daréis la respuesta. *(Se
encamina a la derecha. Antes de salir se vuelve.)* Pero
habéis de tener presentes dos cosas: la primera, que si
él no os despide, vosotros no podéis volveros atrás; el
contrato os obligaría durante toda la feria y, si agradáis
al público..., a viajar con él durante un año por las ferias
de las provincias.

DONATO.—*(Asustado.)* ¿Viajar con él un año?

PRIORA.—Eso he dicho. Lo cual significa vuestra salida del Hospicio. Ni siquiera podréis llevar al pecho ese
emblema que hoy os ampara y que no debe comprometerse en un negocio incierto.

DAVID.—¿Y la segunda cosa?

PRIORA.—*(Grave.)* [Es un ruego.] Si aceptáis, nunca
olvidéis que sois hermanos ante Dios, y que como hermanos habréis de seguir comportándoos. Que Dios os
ilumine.

(Sale. Un silencio hondo.)

GILBERTO.—¿No salimos a pedir?

ELÍAS.—Calla, pajarillo.

NAZARIO.—*(Golpea con su garrote los peldaños.)*
Vamos a sentarnos.

(Lo hace.)

DONATO.—Sí.

*(Tantea con el cayado y se sienta a su vez.
GILBERTO, LUCAS y ELÍAS se sientan. DA-
VID sigue en pie, sin moverse. Vuelve el si-
lencio.)*

NAZARIO.—¡La vieja zorra! [Ganas me dan de ne-
garme, sólo por fastidiarla.] Deseando está que lo
hagamos.

[LUCAS.—Eso no es cierto.

NAZARIO.—¡Déjame reírme!] *(Se burla.)* «¡Nuestra
pobre olla, hijos míos! ¡Comeréis y comeremos!» ¡Ja!
Ya le cambiaba yo nuestra olla por la suya.

LUCAS.—Eres injusto.

NAZARIO.—¿Te ha sentado ella a su mesa? Ahí es
donde van a parar las mandas y los legados.

ELÍAS.—¿Te niegas entonces?

NAZARIO.—Hay que pensarlo. Cierto que llenaría-
mos la tripa. Y por las ferias de Francia, [hermanos,] un
espectáculo como el nuestro atraería como moscas a las
mujeres...

(Se relame.)

[DONATO.—*(Ríe excitado y canturrea.)* «Cuando Colasa la rodilla enseña...»

ELÍAS.—¡Calla! Puede oír la priora.

NAZARIO.—¡Déjale al pequeño que respire y se le vayan las murrias! Hermanos], ¿qué hacemos aquí desde hace siglos? ¡Reventar poco a poco!

ELÍAS.—Algunos matrimonian.

NAZARIO.—Con las hermanas del pabellón de mujeres. ¡Otra manera de reventar! A eso nos han condenado los que ven: han hecho el mundo para ellos. ¡Por mí, que los cuelguen a todos!

LUCAS.—¿Y qué sería de nosotros sin ellos?

NAZARIO.—Tú no eres un ciego.

LUCAS.—¿Estás loco?

NAZARIO.—¡Tú has visto hasta los veinticinco años, tú no eres de los nuestros!

LUCAS.—*(Triste.)* Sé mejor que tú que aquí no hacemos sino esperar la muerte.

[NAZARIO.—Pues yo sacaré tajada.]

GILBERTO.—¡Ah, ya entiendo! Yo digo que sí. ¡Yo sé cantar! ¡Será como una comedia!

ELÍAS.—¡Qué sabes tú de comedias!

GILBERTO.—*(Ríe.)* ¡Si no recuerdo otra cosa! Mis padres me vendieron a un ciego y fui con él a las ferias. Yo vi una comedia hermosa... Yo... quiero hacer eso... Yo vi... *(Ríe.)* Después me dieron las calenturas y no la recuerdo bien. Pero yo vi. ¡Vi!

NAZARIO.—Cierra el pico, chorlito. Comer y folgar es lo que alegra.

ELÍAS.—No somos músicos. Gilberto y yo sacamos algún dinero porque quieren que nos callemos. [¡Aborrezco la música!] Yo nací ciego. Mis padres me mercaron un violín barato y a rascar...

DONATO.—¿No podéis dejar de hablar de los padres?

(DAVID vuelve la cabeza para escucharlo.)

NAZARIO.—¿También te la jugaron a ti, mocito?

(Breve pausa.)

DONATO.—No. Sigue, hermano Elías.

ELÍAS.—Iba a deciros que no tuve maestro. A golpes logré sacar dos canciones en año y medio. Ahora no sé más que quince, y mal. Con dos cuerdas; cuatro son demasiadas para mí. ¡Nunca hubo orquestas de ciegos!

LUCAS.—¡Ni las habrá!

ELÍAS.—*(Inclina la cabeza.)* No servimos para nada.

> *(DAVID deniega en silencio, irritado y conmovido.)*

LUCAS.—*(Suspira.)* Para rezar...

NAZARIO.—*(Inclina la cabeza.)* ¡Que los cuelguen a todos!

> *(DAVID se retuerce las manos, indeciso. Un silencio.)*

GILBERTO.—*(Que escuchó a todos muy risueño.)* ¡Yo digo que sí!

NAZARIO.—¡Y yo, maldita sea! *(GILBERTO ríe, contento.)* A nadie le importa cómo [encallé aquí, ni cómo] aprendí a darle al arco. Pero he pateado los caminos y sé que el hambre manda. Y yo paso muchas hambres, y no sólo de boca... Peor de lo que ya lo hacemos no lo vamos a hacer. ¡Donato, cuando atrapes a una moza por tu cuenta olvidarás a tus padres! Cuesta olvidarlos, ya lo sé; pero yo olvidé a los míos. ¡Di que sí, Lucas!

LUCAS.—Si yo no me niego... Para mí ya todo es igual.

NAZARIO.—¡Pues ya somos tres!

ELÍAS.—Cuatro. Al menos, llenaremos la andorga.

DONATO.—*(Levanta la cabeza, intrigado.)* David no ha dicho nada.

NAZARIO.—¡Dirá que sí! ¿Eh, David? *(Silencio.)* ¿Se ha ido?

DAVID.—Estoy aquí.

DONATO.—*(Con ansia.)* ¿Te sumas?

DAVID.—¡Yo sí! Vosotros, no.

ELÍAS.—¿Qué?

DAVID.—¡Habéis creído decir sí, pero habéis dicho no! ¡Aceptáis por la comida, por las mozas! Pero si pensáis en vuestros violines os come el pánico. ¡Tenéis que decir sí a vuestros violines! *(Va de uno a otro, exaltado.)* Ese hombre [no es un iluso;] sabe lo que quiere. [Adivino que haremos buenas migas. Él] ha pensado lo que yo pensaba, lo que llevaba años madurando, sin atreverme a decirlo. Aunque alguno de vosotros ya sabe algo.

DONATO.—*(Conmovido.)* Cierto.

DAVID.—¡Puede hacerse, hermanos! Cada cual aprenderá su parte de oído, y habrá orquesta de ciegos.

[NAZARIO.—Ese hombre no es músico.

DAVID.—¡Cuenta con músicos que también lo creen posible!] Hermanos, hay que poner en esto todo nuestro empeño. ¡Hay que convencer a los que ven de que somos hombres como ellos, no animales enfermos!

ELÍAS.—Y de leer música y libros, ¿qué? Eso es lo que nos hunde.

DAVID.—*(Desasosegado, se obstina.)* Podremos leer.

ELÍAS.—¡Deliras!

(LUCAS chasquea la lengua con pesar.)

[NAZARIO.—*(Al tiempo.)* Está loco.

DONATO.—No, no lo está... Quiere decir que nos podrán leer más libros...

DAVID.—Quiero decir que podremos leer nosotros.]

NAZARIO.—*(Ríe.)* Está peor que Gilberto.

DAVID.—¡Reíd! Siempre habré pensado yo lo que no os atrevíais a pensar. Siempre aprenderé yo cosas que vosotros no os atrevéis a saber.

LUCAS.—¿Qué cosas?

(Breve pausa.)

DAVID.—¿No habéis oído hablar de Melania de Salignac?

NAZARIO.—*(Burlón.)* ¿Quién es esa señora?

GILBERTO.—*(Risueño.)* ¡Una hermosa señora!

DAVID.—*(Grave.)* Sí. Yo creo firmemente que es hermosa. Yo creo que es la mujer más hermosa de la Tierra.

ELÍAS.—¿Y qué?

DAVID.—Esa mujer sabe lenguas, ciencias, música... Lee. ¡Y escribe! ¡Ella, ella sola! No sé cómo lo hace, pero lee... ¡en libros!

ELÍAS.—Bueno, ¿y qué?

DAVID.—¡Es ciega!

NAZARIO.—¡Ah! ¡Bah, bah!...

(ELÍAS ríe.)

DAVID.—¡Imbéciles, no es una leyenda! ¡Está aquí! ¡En Francia!

ELÍAS.—¿Dónde?

DAVID.—En algún lugar... que ignoro.

[NAZARIO.—¿La conoces?

DAVID.—Acaso un día podamos conocerla.]

ELÍAS.—¿Quién te habló de ella?

DAVID.—*(Cortado.)* Gentes en quienes confío.

[NAZARIO.—*(Ríe.)* ¡Se han reído de ti!

LUCAS.—Nunca oí hablar de ella.

DAVID.—¡Pues existe, necios!]

ELÍAS.—*(Molesto.)* ¿Es con esa gente con la que pasas el tiempo que debías ganar recaudando?

DAVID.—*(Seco.)* No siempre. Ayer lo pasé bajo los balcones de un palacio. Sonaba un cuarteto de cuerda. Fue un concierto muy largo.

NAZARIO.—*(Ríe.)* A lo mejor tocaba Melania.

(Carcajadas de ELÍAS, que secunda, inocente, GILBERTO.)

DAVID.—Lo que oí ayer podemos hacerlo nosotros.

ELÍAS.—[Lo crees fácil porque tú tocas bien. Pero] ya has oído a Lucas.

DAVID.—*(Vibrante.)* ¡Estáis muertos y no lo sabéis! ¡Cobardes!

ELÍAS.—¡Oye, oye!...

DAVID.—Elías, tú tocarías en tus cuatro cuerdas si no fueses un cobarde. Es más fácil que tocar en dos. ¡Pero hay que querer! ¡Hay que decirle sí al violín!

DONATO.—*(Se levanta.)* ¡Yo lo digo!

DAVID.—¡Gracias, Donato!

(Tantea y le estrecha la mano, que retiene.)

LUCAS.—*(Amargo.)* ¡Palos de ciego!

DAVID.—*(Febril, desprende su mano y golpea con el garrote en el suelo.)* ¡Los palos de ciego pueden ser tan

certeros como flechas! Me creéis un iluso porque os
hablé de Melania. ¡Pero tú sabes, Nazario, que con mi
garrote de ciego te he acertado en la nuca cuando he
querido, jugando y sin dañarte! ¿Y sabes por qué? ¡Porque se me rieron de mozo, cuando quise defenderme a
palos de las burlas de unos truhanes! Me empeñé en que
mi garrote llegaría a ser para mí como un ojo. Y lo he
logrado. ¡Hermanos, empeñémonos todos en que nuestros violines canten juntos y lo lograremos! ¡Todo es
querer! Y si no lo queréis, resignaos como mujerzuelas
a esta muerte en vida que nos aplasta.

(Un silencio.)

NAZARIO.—*(Se levanta.)* Bueno… Dile tú mismo a la
priora que aceptamos. Salgo a pedir.

(Sube los peldaños.)

DAVID.—*(Conmovido.)* Entonces, ¿sí?
LUCAS.—*(Se levanta.)* Yo voy a mi telar.
DAVID.—Pero ¿dices sí con nosotros?
LUCAS.—Ya lo dije al principio.

(NAZARIO y él salen por las cortinas.)

ELÍAS.—*(Levantándose.)* Vamos a la calle, pajarillo.

(GILBERTO se levanta y lo toma del brazo.)

GILBERTO.—Será una comedia muy hermosa; con
disfraces. ¡Elías, mi disfraz será el más hermoso de
todos!…

(Salen los dos por las cortinas. Una pausa.)

DAVID.—¡Donato, han dicho sí! Un sí pequeñito, avergonzado, pero lo han dicho. *(Le pone la mano en el hombro y* DONATO *la estrecha conmovido.)* ¡Lo conseguiremos!

> *(Comienza a oírse el allegro del* Concerto grosso, *en sol menor, de Corelli. Oscuro lento. Cuando vuelve la luz las cortinas se han descorrido y vemos un aposento de la casa del señor* VALINDIN. *Hay una puerta al fondo, otra en el chaflán izquierdo y otra en el primer término de la derecha. A la derecha, una mesita con un joyero de plata, una labor de calceta, una jarra de vino y copas. Algunas sillas junto a la mesita y las paredes. Es el saloncito de un burgués acomodado. El concierto sigue oyéndose unos instantes. Cuando cesa se abre la puerta del fondo y entra* VALINDIN *con aire satisfecho.)*

VALINDIN.—¡Adriana! *(Deja sobre la mesita unos cuadernos que traía; husmea, curioso, el joyero; acaricia, complacido, una silla.)* ¡Adriana! *(Se acerca a la puerta de la derecha.)* ¿Dónde te has metido, galga?

ADRIANA *(Voz de).*—¡Me estoy peinando!

VALINDIN.—¿Por qué no te peina Catalina?

ADRIANA.—Prefiero hacerlo yo.

VALINDIN.—¡Dormilona!

> *(Se sirve una copa de vino y, tras una ojeada a la puerta de la derecha, se la bebe de un trago. Luego mueve la mesita y da unos golpecitos en una de sus patas.)*

ADRIANA.—*(Entretanto.)* ¿No será que a ti te levantan los gallos?

VALINDIN.—*(Paladeando la copa, vuelve a la puerta.)* Tenía que volver al Hospicio. Han dicho que sí, ¿sabes?

ADRIANA.—Ya lo sé.

[VALINDIN.—¿Lo sabías?

ADRIANA.—]Hace media hora que trajeron de allí un violoncello y unos violines.

VALINDIN.—[¡Vaya! También ellos madrugan.] ¿Dónde los has puesto?

ADRIANA.—En la otra salita.

VALINDIN.—Perfecto. El contrato ya está firmado, ¿eh? Llamé en seguida al escribano.

ADRIANA.—Lo supongo.

VALINDIN.—*(Ríe y pasea.)* Después me he dado una vuelta por la plaza. Ya han designado los sitios de cada barraca, y el nuestro es [bueno. A un extremo, pero] muy bueno; ya verás.

ADRIANA.—¡Ya estás como el año pasado!

VALINDIN.—¡Y tú ya estás rezongando! ¿Cómo estaba yo el año pasado, si puede saberse?

ADRIANA.—Te pasabas los días y las noches en la barraca.

VALINDIN.—*(Deja la copa apurada.)* ¡Era mi barraca!

ADRIANA.—Este año harás lo mismo, ¿no? Te estarás allí hasta la madrugada, en tus juergas solitarias.

VALINDIN.—Naturalmente.

ADRIANA.—Con la botella.

VALINDIN.—¡Si apenas bebo ya! *(Terminando de atusarse, entra* ADRIANA. *Lleva un bonito vestido mañanero. No es bella, mas sí atractiva: su físico denuncia a la campesina vigorosa, a quien la ciudad no logró afinar del todo. En la mejilla, un lunar negro: la «mosca bribona» de moda. Cumplió ya los treinta años.)* ¡Nombre de Dios! Mi galga se ha puesto guapa. *(VALINDIN va hacia ella para acariciarla. Apunta al lunar con el dedo.)* ¡Si hasta parece una dama de la corte!

ADRIANA.—*(Se zafa.)* Déjame.

VALINDIN.—*(Se separa.)* Mal se levantó el día. *(Junto a la mesa.)* Oye, esta mesita se mueve. *(La menea.)* Le diré al tío Bernier que la encole.

ADRIANA.—*(Seca.)* ¿Van a ensayar aquí?

VALINDIN.—Mañana y tarde. Comerán en el figón de abajo.

(Mueve la mesita.)

ADRIANA.—¿También van a dormir aquí?

VALINDIN.—No, mujer. Mientras estemos en París, en el Hospicio.

ADRIANA.—Menos mal.

VALINDIN.—*(Se acerca.)* ¿Qué humos son ésos? No creo que puedas quejarte... A mi lado tienes lo que quieres, y sin trabajar, en vez de cantar y bailar por las ferias.

ADRIANA.—¡Mientes! Seré camarera.

VALINDIN.—*(Ríe.)* Todos tenemos que echar una mano... Serás encargada de camareras.

ADRIANA.—De otra camarera.

VALINDIN.—Sobra con otra. Pero ahora te sirve de doncella. Vives como una gran señora; quéjate.

[ADRIANA.—Me aburro.

VALINDIN.—Toma tu calceta.

ADRIANA.—¡Me aburre!

VALINDIN.—El diablo que te entienda.]

ADRIANA.—Prefería cantar y bailar.

VALINDIN.—*(Violento.)* ¡Preferías rodar! Porque eres una galga caprichosa. ¡Pero entraste a trabajar con Valindin y Valindin pudo contigo! *(Ríe.)* Me costó lo mío, lo admito. ¿Cuántas espantadas me diste?

ADRIANA.—*(Sonríe.)* No me acuerdo.

VALINDIN.—*(A sus espaldas, le oprime los brazos.)* La galga ya no volverá a salir corriendo... Ahora tiene su casa y su barraca...

ADRIANA.—¿Mías?

VALINDIN.—*(Busca algo en su bolsillo.)* ¡Y tan tuyas! ¿Sabes cuál será el nombre del café?

ADRIANA.—¿Cuál?

VALINDIN.—«A la Galga Veloz.» *(Va a ponerle al cuello una cinta de terciopelo con broche de oro.)* Que al fin... se detuvo...

ADRIANA.—¿Qué es esto?

(La coge y la mira.)

VALINDIN.—En señal de alegría por la firma del contrato.

ADRIANA.—*(Ablandada.)* Es muy lindo... Gracias.

(Va a ponérsela.)

VALINDIN.—Yo te lo pongo.

(Lo hace y la besa en el cuello.)

ADRIANA.—¿Ya has bebido?

VALINDIN.—Una copita.

ADRIANA.—*(Coqueta.)* [Ya que eres tan gentil,] ¿por

qué no lo piensas mejor y me dejas volver a cantar y bailar en *mi* café?

VALINDIN.—*(Enfurecido.)* ¿Otra vez?

(Se separa y pasea.)

ADRIANA.—*(Va hacia él.)* ¡Esa tropa de ciegos va a ser horrible!

VALINDIN.—Ya lo veremos.

ADRIANA.—*(Despechada.)* Eres un asno.

VALINDIN.—*(Ríe.)* ¡Sí, pero de oro! Tiempo de hambre, tiempo de negocios.

ADRIANA.—Y de mujeres.

VALINDIN.—*(Duro, la toma de un brazo.)* ¿Qué pretendes decir con eso? *(Ella lo mira con una punta de temor.)* ¿Que no me quieres? ¡Y qué! [¡Mejor que tú sé yo lo que te conviene!] Ya me lo agradecerás cuando me des un hijo y veas que todo lo mío es para él: para tu hijo.

ADRIANA.—Yo no quiero hijos.

VALINDIN.—Pues yo sí los quiero, ¿entiendes? Ya no soy un mozo, pero aún me quedan años para enseñarte quién es Valindin. Me vas a ver subir como la espuma. [¿Y sabes por qué? Porque sé unir lo útil a lo bueno. Yo tengo buen corazón y soy filántropo. ¡Pero] la filantropía es [también] la fuente de la riqueza, galga! Esos ciegos nos darán dinero. ¡Y yo los redimo, los enseño a vivir! [En el Hospicio se morían poco a poco, y conmigo van a ser aplaudidos, van a ganar su pan...] *(Se emociona.)* ¡Ah! ¡Hacer el bien es bello!... *(Saca un pañuelo y se suena. Ella le mira, desconcertada.)* Ellos me lo agradecerán mejor que tú. Yo seré su protector. Porque, eso sí; siempre hace falta un protector... Yo lo he tenido por fortuna en el señor barón de la Tournelle.

¡Dios le bendiga! Sin él nada habría podido empezar cuando dejé la Marina. Pero él tuvo la bondad de incluirme en las nóminas de la casa real, y gracias a ese empleo pude defenderme los primeros años... *(Ríe.)* Bueno, aún lo cobro, y no viene mal. ¡Dios bendiga a nuestro rey!

ADRIANA.—Nunca me has dicho cuál es tu empleo.

VALINDIN.—*(Ríe y baja la voz.)* Peluquero de un principito que iba a nacer. [Ni siquiera recuerdo su nombre:] el pobre nació muerto.

ADRIANA.—*(Riendo.)* ¿Y le habrías peinado?

VALINDIN.—Claro que sí. En la Marina se aprenden muchas cosas. (ADRIANA *ríe.)* Ríete, pero gracias a eso llevo espada. *(Da un manotazo en el pomo.)* Los peluqueros reales pueden llevarla... [*(Se acerca.)* Nuestro hijo la llevará también, aunque sea de cuna humilde... *(Ella elude su mirada.)* Porque el dinero valdrá tanto como la cuna cuando sea hombre, ya lo verás. ¡Y tendrá dinero!

ADRIANA.—¿No ha sonado la campanilla?

VALINDIN.—Será Lefranc. Lo he citado a esta hora.

ADRIANA.—*(Se acerca a la puerta.)* Se oyen bastones...

VALINDIN.—Entonces son ellos.

ADRIANA.—*(Disgustada.)* ¿Ya?]

(Golpecitos en la puerta del fondo.)

[VALINDIN.—¡Claro!] ¡Adelante!

(Se abre la puerta y aparece CATALINA, *una sirviente no mal parecida y de aire bobalicón.)*

ADRIANA.—[Entonces te dejo.]

(Se encamina a la derecha.)

CATALINA.—Son los ciegos, señor.

VALINDIN.—Hazlos pasar. *(A* ADRIANA.*)* ¡No te vayas! Has de conocerlos.

> (ADRIANA, *contrariada, se sienta junto a la mesita y toma su calceta.* CATALINA *conduce a* NAZARIO, *tras el cual, tocándose, entran los restantes ciegos. El emblema de los Quince Veintes ha desaparecido de sus pechos.)*

CATALINA.—Ésta es la puerta… Por aquí.

VALINDIN.—Bien venidos, amigos.

NAZARIO.—¡Dios guarde a los amos de esta casa!

VALINDIN.—Y a vosotros.

ADRIANA.—*(De mala gana.)* Que Él os proteja.

NAZARIO.—¿Es… la señora?

VALINDIN.—Es… Sí. Es mi señora. Retírate, Catalina. *(*CATALINA *sale y cierra.)* ¿Vinisteis solos?

ELÍAS.—Conocemos muy bien París.

VALINDIN.—Bien, amigos míos. Hay que trabajar de firme. ¿Estáis dispuestos?

LOS CIEGOS.—*(Alegres.)* Sí, señor.

VALINDIN.—Habréis de aprender diez canciones. La melodía es sencilla. ¿Quién es el cantor? Al pronto, no os distingo.

(Pausa.)

ELÍAS.—*(Da un codazo a* GILBERTO.*)* Preguntan por ti.

GILBERTO.—¿Por mí?

VALINDIN.—¿Eres tú el que canta?

ELÍAS.—Sí, señor. Es que es... algo inocente.
GILBERTO.—*(Risueño.)* Mi nombre es pajarillo.

(ADRIANA *ahoga una exclamación de desa-
grado.* VALINDIN *considera, perplejo, a* GIL-
BERTO.)

VALINDIN.—Pues tú, pajarillo, aprenderás las canciones de oído. ¿Sabrás?
GILBERTO.—¡Huy! No hago otra cosa.
VALINDIN.—¡Hum!... Bueno. Ahora vendrá un violinista que os las irá enseñando. Los demás no tenéis
más que seguir la melodía con vuestros instrumentos.
[Todos la misma y con el mismo ritmo, ¿eh? Vais a
ensayar muchas horas; tomadlo con paciencia.]
DAVID.—¿No hay partes diferentes?
VALINDIN.—*(Risueño.)* Tranquilizaos. Ya sé que no
se os puede pedir eso. [La melodía es la misma para
todos.] ¿Qué caras son ésas? ¿Sucede algo?
DAVID.—*(Se adelanta.)* Señor Valindin, nosotros...
pensamos que sí se nos podría pedir eso. (VALINDIN *le
dedica a* ADRIANA *un gesto de asombro.*) Creemos
que... podríamos hacerlo.

(VALINDIN *mira a* ADRIANA, *que menea la
cabeza, disgustada; se toca la frente con un
dedo y deniega, despectivo, para indicarle
que* DAVID *no debe de estar en sus cabales.*)

VALINDIN.—Pero... las diversas partes no se han es-
crito.
DAVID.—Podrían escribirse.
VALINDIN.—Es mucho trabajo y, además, vosotros...
DAVID.—¡Podríamos! Yo mismo, si vos lo permitís,

me comprometo a aprenderlas y a enseñarlas a cada uno... Yo..., si queréis... No me asusta el trabajo...

VALINDIN.—Bueno... Hablaréis de todo eso con el violinista. Venid ahora a la salita donde vais a ensayar. Hay un corredor a vuestra derecha. [Yo os conduciré; ya iréis conociendo la casa.] *(Toma de la mano a* NAZARIO *y lo conduce al chaflán.)* Es por aquí.

> *(Los ciegos se buscan entre sí y tantean el camino con la seca musiquilla de sus garrotes.)*

DAVID.—Señor Valindin, escuchadme... No es tan difícil...

> *(VALINDIN sale.)*

VALINDIN *(Voz de).*—Sí, sí, luego... Cuidad de no romperme nada con vuestros palos... [Aquí hay una consola...]

> *(Los ciegos salen tras él y el ruido de sus cayados se va perdiendo.* DAVID, *que va a salir el último, se vuelve despacio, bajo el vago recuerdo de que alguien sigue en el aposento.* ADRIANA *lo mira fijamente y se levanta, dejando su labor.)*

ADRIANA.—¿Os llevo? *(A* DAVID *se le nubla el rostro y, sin contestar, sale por el chaflán, cuya puerta queda abierta. El ruido de su garrote se pierde también.* ADRIANA *profiere un irritado «¡Oh!» y se pone a pasear, agitada. Golpecitos en el fondo.* ADRIANA *se detiene.)* ¡Adelante!

> *(Entra* JERÓNIMO LEFRANC: *un hombre flaco, de enfermiza palidez y turbia sonrisa.*

*Viste con cierto atildamiento, pero la ropa es
vieja. Lleva sin empolvar el cabello y la blan-
cura de sus puños y chorrera es más que
dudosa.)*

LEFRANC.—*(Se inclina.)* Felices días, Adriana. Y mis
plácemes.

ADRIANA.—*(De mal humor.)* ¿Por qué?

LEFRANC.—Veo que al fin os han ascendido a ama de
casa. Para una moza de las ferias no es poca fortuna.

ADRIANA.—*(Sonríe aviesamente.)* ¿Seguís vos ras-
cando el violín, señor Lefranc? ¿Cuándo podré felicita-
ros por vuestro ascenso a director de la Ópera Cómica?

LEFRANC.—*(Ríe sin gana.)* [¡Cómo, Adriana!] ¿Ya
no sabéis admitir las chanzas de un viejo amigo?

ADRIANA.—Chanza por chanza...

LEFRANC.—Adivino que el bueno de Valindin os ha
contrariado en algo. ¿Dónde se anda?

ADRIANA.—*(Fría.)* Ahí dentro. Con ellos.

LEFRANC.—¿Llegó ya el número circense? Yo me
demoré algo, cierto. Pero aquí le tenemos.

(VALINDIN entra por el chaflán.)

VALINDIN.—No me agrada perder mi tiempo, señor
Lefranc.

LEFRANC.—*(Burlón.)* Eso creéis vos.

VALINDIN.—Ahí tenéis vuestras canciones. Las letras
que faltaban ya están compuestas. *(LEFRANC las coge de
la mesita y las hojea.)* ¿Qué repertorio traéis este año a
la feria?

LEFRANC.—*(Repasando las canciones.)* ¡Un repertorio excelente, señor Valindin! Y las voces son cosa fina.
El jardinero y su señor, Cenicienta...

ADRIANA.—Yo cantaba el año pasado en el café el arieta de *Cenicienta*. ¿Te acuerdas?

VALINDIN.—*(Tras una rápida mirada a* ADRIANA.*)* ¿Y estrenos?

LEFRANC.—*(Lo mira con sorna.)* Estamos ensayando la ópera que el señor Grétry ha tenido la bondad de confiarnos. [¡Será la sensación de la feria!]

VALINDIN.—*(Molesto.)* ¿Del señor Grétry?

LEFRANC.—Sí, señor. *(Suelta sobre la mesita el rimero de partituras.)* Bastante mejor que estas cancioncitas, que son muy ramplonas.

ADRIANA.—La música es vuestra...

LEFRANC.—Para que me la destrozasen esos desdichados no la iba a escribir mejor.

VALINDIN.—*(Hosco.)* No le temo a vuestro Grétry. Tomad las canciones y vamos a ensayar.

(Se encamina al chaflán.)

LEFRANC.—*(Las recoge.)* Suponiendo que se pueda ensayar. Porque [os habéis empeñado en algo... que no puede quedar bien.

VALINDIN.—Salga como salga, recordad que me habéis prometido no decirle nada a vuestro director.]

> *(Amortiguado por la distancia, comienza a oírse un violín que toca el adagio del tercer tiempo del concierto de Corelli.)*

[LEFRANC.—¡Por supuesto, señor Valindin! Sois vos quien paga. Pero] esos ciegos no pueden ser peores, los pobrecitos. *(Va a reunirse con él y se detiene, intrigado.)* ¿Qué es eso?

VALINDIN.—*(Lo mira y escucha.)* Ellos.

ADRIANA.—Toca uno solo.

LEFRANC.—¿Os chanceáis?

VALINDIN.—¿Qué decís?

LEFRANC.—*(Seco.)* ¿Os habéis traído a otro violinista? Eso a mí no se me hace.

VALINDIN.—*(Le toma por la muñeca y lo trae al primer término, bajando la voz.)* ¡Trueno de Dios! ¿Me estáis diciendo que ese ciego toca... bien?

LEFRANC.—Ése que toca no es ciego.

ADRIANA.—*(Que se acercó a la puerta a escuchar.)* Sí que toca bien.

(VALINDIN *va a la mesita, se sirve una copa y bebe.*)

LEFRANC.—¡Basta de burlas! ¿Quién es?

(Golpecitos en el fondo.)

ADRIANA.—*(Al ver que* VALINDIN *no se mueve.)* ¡Adelante!

(Entra CATALINA.*)*

CATALINA.—El tío Bernier, señor.

VALINDIN.—*(Sin reparar en ella.)* Me estoy preguntando si los demás lo harán igual.

LEFRANC.—*(Comprendiendo que no le engañan.)* Si es ciego, lo será desde hace poco... y habrá sido músico.

(VALINDIN *da en la mesa un golpe que, extrañamente, parece de contrariedad.*)

VALINDIN.—Vamos allá.

(Y se encamina rápido al chaflán, seguido del violinista.)

CATALINA.—*(Carraspea.)* Señor... El tío Bernier...
VALINDIN.—*(Se detiene.)* ¿Eh? ¡Ah, sí! *(A ADRIANA.)* Vuelvo en seguida. Dile tú lo de la mesita.

(Sale con LEFRANC. CATALINA sale también. Una pausa, durante la que ADRIANA escucha, intrigada, el violín lejano. Entra IRENEO BERNIER. Viste de menestral y aparenta cincuenta años, aunque tal vez cuente menos. Su aire es humilde; el rostro denuncia su origen campesino.)

BERNIER.—¿Hay licencia, señora Adriana?
ADRIANA.—Pasad, tío Bernier. El señor Valindin viene en seguida. ¿Tenéis noticias de vuestra gente?
BERNIER.—No, señora. A la aldea no vuelvo hasta el invierno.
ADRIANA.—*(Que le atiende mal, pendiente de la música.)* ¿No os escriben?

(El violín calla. Ella va al chaflán, escucha un momento y cierra la puerta.)

BERNIER.—Sólo cuando encuentran quien lo haga por ellos... Ellos no saben. Ni falta que hace... Lo que me iban a decir ya lo sé yo.
ADRIANA.—*(Va a su lado.)* ¿Qué iban a deciros?
BERNIER.—Pues..., que a ver lo que puedo llevar... Todo eso.
ADRIANA.—*(Asiente, comprensiva.)* ¿Os ha citado él?
BERNIER.—Quería hablarle yo, señora.

ADRIANA.—Ha dicho que miréis esta mesa. Parece que cojea.

(BERNIER *mira la mesa.*)

BERNIER.—Cosa de poco. Mañana traigo cola.
ADRIANA.—*(Se sienta y reanuda su labor.)* ¿No os sentáis?
BERNIER.—Es lo mismo, señora Adriana... Yo venía... a rogarle al señor Valindin... Si vos quisierais rogarle por mí...
ADRIANA.—¿Qué os pasa?
BERNIER.—Pues...

> *(El chaflán se abre y* BERNIER *calla.* LE-FRANC *entra con mala cara y se detiene en el primer término. Tras él,* DAVID, *que va rápido a su lado, pero que tantea constantemente a su paso, muebles, quicios, paredes. Entra, finalmente,* VALINDIN *y se cruza de brazos cerca del chaflán, conteniendo su indignación.)*

LEFRANC.—¡No entiendo nada!
DAVID.—Vos comprendéis que yo sería capaz de hacerlo.
LEFRANC.—¡Os digo que no!

(DAVID *titubea.*)

BERNIER.—*(Aprovecha la pausa.)* Felices días, señor Valindin.

(DAVID *vuelve la cabeza al escucharle.*)

VALINDIN.—Hola, Ireneo. Pronto os atiendo.

(De pronto, DAVID va hacia la mesita. ADRIANA se levanta al verle llegar; él nota su presencia y se desvía, tanteando el borde. Ante BERNIER vacila y tantea la pared con el garrote.)

BERNIER.—La mesa tiene buen arreglo, señor Valindin.

(DAVID se acerca a la puerta.)

VALINDIN.—*(Ordena silencio a BERNIER con un ademán.)* ¿Se puede saber adónde vas? *(DAVID se detiene.)* ¡Sí, es a ti a quien hablo! ¿Cuál es tu nombre?

DAVID.—David.

VALINDIN.—Pues bien, David: ya ves que tus mismos compañeros se te han enfadado.

DAVID.—Querían enfadarse con vos. Pero a eso no se atreven.

VALINDIN.—¿Te burlas?

DAVID.—No son burlas.

LEFRANC.—Son locuras. Como las de antes.

DAVID.—*(Va hacia él.)* Cualquiera con oído puede seguir a un cantante con la segunda voz. ¿Por qué no va a poder darla un violín? ¡Y más aún un violoncello!

ADRIANA.—Eso es cierto...

VALINDIN.—¿Qué sabes tú?

ADRIANA.—¡He cantado!

VALINDIN.—Cállate.

LEFRANC.—Con los instrumentos no es tan fácil, Adriana. Pero este hombre es el hombre más terco que he visto en mi vida.

(Pasea, alterado.)

VALINDIN.—¡Y sabe de sobra que si él tiene algún oído, los demás son unos rascatripas!

DAVID.—Si somos tan malos, ¿para qué nos queréis?

VALINDIN.—*(Cortado.)* Es que... pese a todo, el espectáculo será admirable. [¡Literalmente, nunca visto! Si os sometéis todos a lo que se os pide no dejaréis de tener mucho mérito. Pero tú sueñas con algo imposible.] Ea, vuelve al ensayo. *(DAVID se encamina de pronto al fondo. Al llegar a la puerta, tantea.)* ¿Dónde vas? *(DAVID no contesta. Está acariciando el picaporte.)* ¡Por ahí se sale a la calle! *(DAVID no se mueve. Sorprendido, VALINDIN se le acerca. Su fisonomía se endurece.)* ¿Es que quieres ir a la calle?

LEFRANC.—Permitid que le hable yo. Quizá logre convencerle al fin de su error...

VALINDIN.—*(Duro.)* Pero delante de los otros. Hemos hecho mal trayéndole aquí. *(Toma a DAVID del brazo.)* Vamos.

DAVID.—*(Se resiste.)* Yo no vuelvo allí.

VALINDIN.—No quieres que te derroten ante ellos, ¿eh? ¡Pues así ha de ser! Vamos. *(Tira de él, en vano.)* ¡Vamos!

ADRIANA.—¡Luis, por Dios!...

DAVID.—¡Yo no vuelvo allí!

> *(Y da al tiempo un seco golpe con la punta de su garrote sobre el pie de VALINDIN, quien se separa con una exclamación de dolor. DAVID retrocede un paso, alerta. VALINDIN lo mira fijamente.)*

ADRIANA.—*(Asustada, corre a detenerlo.)* ¡Luis!

VALINDIN.—Esto ha sido... casual, ¿verdad? ¡Supongo que era en el suelo donde querías golpear!...

ADRIANA.—¿Cómo puedes dudarlo? ¡Está ciego, Luis!

VALINDIN.—Por fortuna para él. *(Se acerca a* BERNIER.*)* Ya lo veis, Ireneo. Sólo desea uno dar trabajo a la pobre gente que lo ha menester. Y [los hay tan necios que] aún se resisten a tomarlo. ¡Decidle vos a este asno cómo se porta Valindin con la pobre gente! Decídselo vos, Ireneo Bernier, padre de seis hijos, forzado a venir a París desde su aldea todos los otoños para trabajar de calderero y carpintero... Decidle lo que habría sido de vos y de los vuestros sin Valindin...

BERNIER.—*(Carraspea.)* Pues...

VALINDIN.—Claro, amigo mío. *(Pasea.)* Pero no todos quieren comprender la belleza de una sana filantropía.

LEFRANC.—¿Habéis perdido la vista hace poco, David?

DAVID.—A los ocho años.

LEFRANC.—¿A los ocho años? ¿Y quién os ha enseñado el violín?

DAVID.—*(Sonríe.)* El maestro de los hijos de mi señor me enseñó entonces las posiciones. Después me las he arreglado yo.

(VALINDIN *mira a* LEFRANC, *que hace un gesto de incredulidad.)*

LEFRANC.—Hijo mío, [vos tenéis buen oído, pero nada sabéis de música.] Yo he consumido mi vida estudiando el contrapunto y os aseguro que es una ciencia muy difícil. Para llevar a cabo lo que sugerís habría que escribir dos partes de violín y una de violoncello a cada canción, lo cual sería laborioso... Pero además tendríais que aprenderlas... Y vosotros no podéis leerlas.

DAVID.—Si vos las ejecutáis, nosotros las repetiremos.

LEFRANC.—¿Sí? ¿Y cuánto tiempo creéis necesario con ese método para tocar una sola de las canciones? *(Silencio.)* ¿Un mes?

DAVID.—¡No!

LEFRANC.—¡Sí, amigo mío!

DAVID.—¡Pues aunque sea un mes para una sola canción, nosotros no debemos hacer otra cosa!

VALINDIN.—Olvidas que la feria se abre dentro de once días.

DAVID.—*(Sobresaltado.)* ¿Once días?

VALINDIN.—¡Sí! Y ahora mismo estamos perdiendo un tiempo precioso.

[LEFRANC.—Incluso aprendiendo las canciones a un solo tono, creo que las tocaréis deplorablemente... El señor Valindin sabrá por qué ha querido contrataros, porque yo... (VALINDIN *le está haciendo vehementes gestos de que calle y no le desanime.)* Quiero decir que él es muy decidido y generoso... Que se pueda sacar algo de vosotros sólo a él podía ocurrírsele... Siempre será admirable lo que logréis...

VALINDIN.—Lo será. Y además,] hijo, quiero dignificar vuestro trabajo: que ganéis vuestra vida sin pedir limosna. ¡Ea, es muy tarde y yo aún tengo muchos quehaceres! Llevadlo, Lefranc. *(No pierde de vista a* DAVID, *que vacila.* ADRIANA *y* BERNIER *también le miran.* LEFRANC *toma a* DAVID *de un brazo.* VALINDIN, *paternal:)* ¡Vamos, David!...

> *(*DAVID *se desprende y, muy despacio, sale por el chaflán seguido de* LEFRANC. VALINDIN *corre a la puerta y cierra suavemente.* BERNIER *carraspea y mira a* ADRIANA.*)*

ADRIANA.—El tío Bernier quería pedirte algo, Luis.

VALINDIN.—[*(Mira con aprensión al chaflán.)* Esperemos que todo vaya bien... En esta ocasión me juego mucho y no voy a tolerar que se vaya al diantre por un lunático. *(Suspira y reacciona.)* Va a la mesita mientras habla.)* ¿Cómo va el pavo real, Ireneo? ¿Habéis encontrado buena chapa?

(Se sirve una copa de vino.)

ADRIANA.—*(Le pone la mano en el brazo.)* Luis...

VALINDIN.—*(De mal humor.)* ¡Es sólo una copita, Adriana!

(Bebe. ADRIANA suspira y se sienta, reanudando su labor.)

BERNIER.—Pues... de eso justamente quería hablaros, señor Valindin... La chapa está ahora muy cara.

[VALINDIN.—*(Seco.)* ¿A qué viene eso?

BERNIER.—]Con la cantidad que me disteis... no alcanza.

VALINDIN.—*(Deja la copa con un golpe brusco.)* Pues la calculamos con arreglo a los precios.

BERNIER.—Los del año pasado, [señor Valindin]. Este año ha subido todo casi al doble, y yo no contaba con eso.

VALINDIN.—*(Pasea, irritado.)* ¡No me vengáis con monsergas, Ireneo! No doy un sueldo más. [Lo tratado es lo tratado:] Vos me construiréis el pavo real, y pronto. Sin el pavo real no hay espectáculo.

BERNIER.—¡De veras que no me alcanza, señor Valindin! Yo... he pensado que podría construirse de madera.

[VALINDIN.—*(Se detiene.)* ¿De madera?

BERNIER.—Podrá pintarse mejor y quedará fuerte.]

VALINDIN.—¿Y no será, tío Bernier, que queréis ahorrar un poquito más para vuestra bolsa?

BERNIER.—*(Sonríe con tristeza.)* A vos no se os puede hacer eso, señor Valindin.

VALINDIN.—¡Cierto que no! Ahora mismo iremos los dos a comprobar toda esa historia de los precios. ¡Si habéis pretendido engañarme lo vais a sentir! *(Va al fondo y abre la puerta.)* Salid.

BERNIER.—*(Suspira.)* Quedad con Dios, señora Adriana.

ADRIANA.—Con Dios, tío Bernier.

(Sale BERNIER.)

VALINDIN.—Vuelvo pronto, Adriana.

(Va a salir. ADRIANA se levanta.)

ADRIANA.—Luis...
VALINDIN.—¿Qué?
ADRIANA.—¿No has estado un poco duro?

(Se acerca.)

VALINDIN.—¿Con el tío Bernier?

ADRIANA.—Y con ese pobre ciego también.

VALINDIN.—Soy duro porque soy eficaz. También dices que soy duro para ti. Pero te salvo..., como a ellos. *(Ríe y le da un pellizco en la mejilla.)* Vuelve a tu calceta..., galga.

(Sale por el fondo. Una pausa. ADRIANA se acerca al chaflán y escucha. Luego va, des-

pacio y cavilosa, al centro de la sala, donde se detiene un segundo para mirar con disgusto su labor. Al fin suspira y se encamina rápida a la puerta de la derecha. Cuando va a salir se detiene porque la puerta del chaflán se abre. Entra LEFRANC, *seguido de* DAVID *y de* DONATO, *que traen sus violines.)*

LEFRANC.—Perdón. ¿No está Valindin?

ADRIANA.—Acaba de salir.

LEFRANC.—Es para dejar aquí a estos dos. [A no ser que prefiráis que salgan a la calle...

ADRIANA.—A mí no me estorban.

LEFRANC.—]De momento es mejor así, ¿comprendéis? Gracias.

(Y sale por el chaflán, cerrando. ADRIANA *se acerca, intrigada.)*

ADRIANA.—¿Qué os pasa?

DONATO.—Nos ha echado.

*(*DAVID *se dirige a una silla, se cerciora de que está allí y se sienta, bajando la cabeza.)*

ADRIANA.—Justamente iba a deciros que os sentaseis...

DAVID.—No es menester.

ADRIANA.—*(Fría.)* Ya lo veo.

DONATO.—Él se aprende en seguida los muebles, pero yo no...

ADRIANA.—Ven. Dame la mano. *(*DONATO *se la tiende y ella le conduce hacia la mesita. Se detiene.)* ¡Muchacho! ¡Estás temblando!

(DAVID *levanta la cabeza un momento.*)

DONATO.—(*Turbado.*) No es nada.

ADRIANA.—Siéntate aquí. (*Lo sienta junto a la mesita.*) ¿Sufres de algún mal?

DONATO.—¡No, no!

> (*Deja el violín en el suelo y se toma las manos.*)

ADRIANA.—Os daré una copa de vino. ¡Eso entona! (*Sirve dos copas y le pone una en la mano a* DONATO.) Toma.

DONATO.—Gracias, señora.

> (*Bebe, nervioso.* ADRIANA *se acerca a* DAVID *con la otra copa.*)

ADRIANA.—Tomad la vuestra.

DAVID.—(*Levanta la cabeza.*) Yo no he dicho que quisiera beber.

ADRIANA.—(*Herida, retira la mano rápidamente.*) ¡Perdón!

DONATO.—Perdonad vos, señora. Después de lo ocurrido no sabemos lo que decimos...

ADRIANA.—(*Mirando a* DAVID, *se acerca a la mesita y deja la copa.*) ¿Por qué os han echado?

DONATO.—David ha intentado un acompañamiento con el violín y el señor Lefranc se ha puesto furioso.

ADRIANA.—(*Se sienta al otro lado de la mesa.*) ¿Y tú?

DONATO.—Yo... procuraba seguir el violín de David.

ADRIANA.—¿Por qué?

DONATO.—¿No os parece a vos, señora, que lo que él quiere puede hacerse?

DAVID.—¿Por qué le preguntas eso? Ella dirá lo que él. *(Irónico.)* Dijo que erais... su esposa, ¿no?

ADRIANA.—*(Fría.)* No sé lo que dijo.

DAVID.—Ya.

(Acaricia sobre sus rodillas el violín; pizca una cuerda, que emite su sorda nota.)

ADRIANA.—*(Va a contestarle; lo piensa mejor y le habla a* DONATO*.)* ¿De qué estás ciego, muchacho?

DONATO.—*(Baja la cabeza con vergüenza.)* ¿Es que no se ve?

ADRIANA.—*(Suave.)* ¿Las viruelas?

DONATO.—Me dieron de muy niño... No sé lo que es la vista.

ADRIANA.—¿Quién te enseñó a tocar?

DONATO.—Él. *(Ella mira a* DAVID*.)* Cuando entré en el Hospicio me tomó por su cuenta. Todo lo que sé, lo sé por él. Nuestras camas están juntas, y él me habla de música, y de las cosas del mundo... Es como mi padre.

DAVID.—¿Por qué no te callas?

ADRIANA.—¿Eres huérfano?

DONATO.—*(Después de un momento.)* No lo sé.

ADRIANA.—¿Qué hacéis en el Hospicio?

DONATO.—Hilamos, tejemos, amasamos el pan, pedimos limosna... y rezamos todo el día. Dios lo ha querido así. *(*DAVID *pizcó sus cuerdas a cada una de las tareas; a la última frase se levanta.* ADRIANA *no le pierde de vista. Él da media vuelta y con gran seguridad va a la puerta, cuyo picaporte toma sin tantear, después de pensarlo un segundo.)* ¿Dónde vas, David?

ADRIANA.—*(Se levanta.)* ¿Os vais?

DAVID.—¿Qué puede importaros?

(Abre la puerta y sale, cerrando.)

ADRIANA.—Pero…, ¡es insufrible!

DONATO.—Es conmigo con quien se ha enfadado. Él dice que Dios no puede haber querido nuestra ceguera.

ADRIANA.—¿No estará mal de la cabeza?

DONATO.—En el Hospicio hay quien lo piensa.

ADRIANA.—¿Y tú?

DONATO.—¡Yo le creo! Dicen que está loco [porque sabe más que ninguno de nosotros,] porque piensa cosas que nadie se atreve a pensar.

ADRIANA.—*(Vuelve a sentarse lentamente.)* ¿Qué cosas?

DONATO.—Pues… esto mismo de que los ciegos podremos tocar conciertos como los de los videntes…

ADRIANA.—¿Y qué más?

DONATO.—Dice que podremos leer y escribir como ellos.

ADRIANA.—*(Deniega, estupefacta.)* ¿De qué modo?

DONATO.—No sé.

> *(De pronto, llega el sonido amortiguado del adagio de Corelli.* ADRIANA *mira al fondo, perpleja.)*

ADRIANA.—Está tocando…

DONATO.—Es que está triste.

ADRIANA.—¿Crees tú de veras que no está loco?

DONATO.—*(Deniega con calor.)* Él sabe que hay una mujer… ¡Una mujer muy bella, señora! Tan bella como vos…

ADRIANA.—*(Sonríe.)* ¿Qué sabes tú si soy bella?

DONATO.—*(Ingenuo.)* ¿No lo sois?

ADRIANA.—Bueno, no soy fea. ¿Qué me ibas a decir de esa mujer que él conoce?

DONATO.—No la conoce. Pero sabe que vive en Francia, y que está ciega. *(Se inclina hacia ella, misterioso.)* Pues esa dama lee los libros y escribe. Y también lee y escribe música. Y habla muchas lenguas y sabe de números... Su nombre es Melania de Salignac.

ADRIANA.—*(Incrédula.)* ¿Y está ciega?

DONATO.—Como nosotros... ¿Me guardaréis un secreto?

ADRIANA.—Cierto que sí.

DONATO.—A vos os lo puedo confiar, porque vos sois buena... ¡Vos sois muy buena! *(Baja la voz.)* Yo sé que cuando él toca esa música... piensa en ella.

ADRIANA.—*(Irónica.)* ¿La ama sin conocerla?

DONATO.—Sueña con encontrarla.

ADRIANA.—Pero vosotros... ¿amáis? *(A* DONATO *se le nubla el rostro.)* Perdóname, soy tonta. ¿Por qué no ibais a amar? Es que no sé nada de vosotros.

DONATO.—Nadie sabe nada.

ADRIANA.—*(Tiende el brazo sobre la mesa y toma su mano.)* ¿Me perdonas?

> *(*DONATO *se estremece. Impulsivo, toma con sus dos manos la de ella.)*

DONATO.—Señora, vos sois... ¡la mujer más buena que yo he conocido! ¡La más buena!...

> *(Le besa la mano y, sin soltársela, solloza.)*

ADRIANA.—*(Desconcertada.)* ¡Pero, cálmate!... ¡Muchacho!... ¡Cálmate!...

> *(La puerta del chaflán se abre.* DONATO *retira aprisa sus manos y procura esconder su rostro. Entra* LEFRANC.*)*

LEFRANC.—Perdonad, Adriana. Esto es más duro de lo que yo creía.

ADRIANA.—*(Se levanta.)* Luis no ha vuelto aún...

LEFRANC.—Mejor así. Ahora dicen los otros que sin estos dos no ensayan... Pero... ¿a qué se ha puesto a tocar el otro ahí fuera?

ADRIANA.—*(Fría.)* Al parecer le agrada tocar.

LEFRANC.—Ya, ya lo veo. Mocito, vamos al ensayo.

DONATO.—Sí, señor.

(Recoge su violín.)

ADRIANA.—Espera, yo te ayudo.

DONATO.—Gracias, señora. No es menester.

(Se levanta y da unos pasos torpes. ADRIANA lo toma de la mano.)

ADRIANA.—Ven. Es por aquí. *(Le conduce.)* ¿Otra vez tiemblas?

DONATO.—No es nada...

(LEFRANC va a la puerta del fondo.)

ADRIANA.—Conducidle vos, Lefranc. Yo intentaré llevar al otro. Está reacio y quizá vos no sepáis convencerle.

LEFRANC.—En vos confío. *(Toma a DONATO del brazo.)* Vamos, muchacho.

(Sale con él por el chaflán. ADRIANA corre a cerrar la puerta y va después a la del fondo. La abre sin ruido y mira afuera. El violín se

oye más fuerte. ADRIANA sale. Momentos
después calla el violín.)

DAVID *(Voz de).*—¿Quién es?

ADRIANA *(Voz de).*—El señor Lefranc os ruega que
le perdonéis y que volváis al ensayo.

[DAVID.—*(Sardónico.)* ¡Qué gentil!

ADRIANA.—¿Os conduzco?]

DAVID.—¿Por qué no viene él a pedírmelo?

ADRIANA.—Le daba reparo confesaros... que vuestros compañeros se han negado a trabajar si no volvíais.

(Un silencio.)

DAVID.—Vamos.

ADRIANA.—Tomad mi brazo.

DAVID.—No es menester. *(ADRIANA entra y se re-
cuesta en el borde de la mesa. DAVID entra y mueve la
cabeza de un lado a otro.)* ¿Y Donato?

ADRIANA.—¿El muchacho? Ha vuelto ya al ensayo.

(DAVID da unos pasos hacia la izquierda.)

ADRIANA.—*(Le mira, absorta.)* Parece muy desgra-
ciado ese niño.

DAVID.—*(Se detiene.)* Todos somos ciegos.

(Sigue su camino.)

ADRIANA.—*(Para detenerle.)* Pero él no sabe tocar
tan bien como vos. Quizá no puede consolarse con ninguna música preferida, como esa que tocabais ahí
fuera...

DAVID.—*(Que se detuvo.)* ¿Quién os ha dicho que
esa música sea para mí un consuelo?

ADRIANA.—Me lo pareció... Yo he cantado y tengo también mi canción de los malos momentos... *(Un silencio.* DAVID *se vuelve hacia el chaflán y comienza a andar. Presa de extraña ansiedad,* ADRIANA *da unos pasos hacia él.)* ¿Puedo ayudaros en algo?

DAVID.—*(Se detiene.)* Sí.

ADRIANA.—*(Se acerca más, anhelante.)* ¿Cómo?

DAVID.—¡Callando!

(Va a salir.)

ADRIANA.—*(Retrocede, humillada.)* [¿Sólo habláis para mofaros?] ¿Respondéis siempre así cuando se os brinda ayuda y afecto?

DAVID.—*(Se vuelve airado y avanza.)* ¡Basta de farsa! Tú eres la amante de Valindin y quieres que su negocio le salga bien. ¡No presumas de generosidad!

ADRIANA.—*(Sublevada.)* ¿Qué modos son ésos?...

DAVID.—¡Los que él tiene con nosotros! *(Avanza más y ella retrocede.)* ¿Qué vas a sacar tú de esto? ¿Un vestido a la góndola? ¿Tal vez una joya?

ADRIANA.—*(Se acaricia instintivamente el broche que* VALINDIN *le puso al cuello.)* ¡Sois un bribón!

DAVID.—¡A mí no me engañas! ¡Y guárdate de engañar a ese pobre niño! A él no me lo engatuses. Lo destrozarías, y yo... no te lo perdonaría.

ADRIANA.—*(Roja, tartamudea.)* ¿Cómo os atrevéis a pensar que yo...?

DAVID.—¿Qué se puede esperar de una mujer como tú?

ADRIANA.—*(Grita.)* ¿De quién entonces? ¿De alguna bachillera ridícula? ¿De alguna damisela soñada?

(Pausa.)

DAVID.—*(Rígido.)* ¿Por qué dices eso?

ADRIANA.—*(Ríe.)* ¡Guardaos vos de presumir! ¿Qué sabéis vos de mujeres de carne y hueso?

DAVID.—*(Frío.)* Sé a lo que saben y sé que saben bien. No les pido más.

ADRIANA.—*(Vibrante.)* Las pagas y te vas, ¿eh? ¡Un cerdo, como todos!

DAVID.—¡Eso tú lo sabrás!

ADRIANA.—¡Sí que lo sé! ¡Los hombres pagáis porque no os atrevéis a pedir más! *(Ríe con desprecio.)* ¡Te deseo que encuentres pronto una mujer a quien no tengas que comprar! *(Él se vuelve nuevamente hacia el chaflán.)* ¡Pero de carne y hueso! *(Él atiende y reanuda su marcha. Ella da unos pasos hacia él y le habla con repentina suavidad.)* A pesar de todo… ¿Queréis mi brazo? Podríais tropezar.

DAVID.—*(Sonríe.)* Conozco el camino mejor que tú. Puedo andarlo sin luz.

> *(Llega a la puerta, la abre sin titubeo y sale, cerrando. Turbada, ADRIANA llega a ella y toma el picaporte con intención de abrir, mas no se decide. VALINDIN entra por el fondo sin ruido. La observa sonriente y al fin choca dos llaves iguales que trae en la mano. ADRIANA se vuelve con un respingo. VALINDIN ríe.)*

VALINDIN.—¿Qué hacías?

ADRIANA.—Me has asustado.

VALINDIN.—¿Tanto? Estás demudada.

ADRIANA.—¿Sí? No creo… ¿Qué llaves son ésas?

VALINDIN.—Las del café. Acabo de comprar la cerradura, que es excelente, y ya la llevé al carpintero. Pero las llaves me las traje. Toma. Una es para ti.

ADRIANA.—*(La toma.)* ¿Para mí?

VALINDIN.—Guárdala tú en casa. Por si se me pierde la otra, que no se me perderá.

ADRIANA.—¿Dónde la guardo?

VALINDIN.—Donde tú quieras, siempre que me lo digas.

ADRIANA.—*(Pensando en otra cosa va a la mesita.)* ¿Aquí?

(Abre el joyero.)

VALINDIN.—No es mal sitio. Ningún ladrón lo relacionaría con la barraca. Claro que aquí nadie va a robar. *(*ADRIANA *mete la llave y cierra el joyero.* VALINDIN *se sienta, con un suspiro de cansancio.)* [Hay buenas noticias, ¿sabes? Me las ha dado el carpintero. Él les armaba también su barraca a los enanos, y este año no vienen. Sin ellos, la feria es nuestra.

ADRIANA.—¿Temías a los enanos más que a la Ópera Cómica?

VALINDIN.—Por supuesto.] ¿Y los ciegos?

ADRIANA.—Ensayan.

VALINDIN.—*(Se frota las manos.)* ¿Como unos corderitos?

ADRIANA.—No del todo... Ha habido un incidente.

VALINDIN.—¡No me digas que ese lunático se ha rebelado otra vez!

ADRIANA.—Empezó a tocar a su manera y el muchacho le siguió. Lefranc tuvo que echarlos.

VALINDIN.—*(Se levanta.)* ¡Se van a acordar de mí toda la vida! ¿Dónde han ido?

ADRIANA.—Cálmate... Han vuelto al ensayo.

*(VALINDIN gruñe y pasea, hosco. ADRIANA
se sienta sin perderle de vista.)*

VALINDIN.—No puedo estar a expensas de que un
imbécil cualquiera comprometa la empresa. [Me juego
demasiado en ella.] *(Se detiene y la mira.)* Nos jugamos
mucho en ella, Adriana. Has de ayudarme.

ADRIANA.—*(Asombrada.)* ¿Yo?

VALINDIN.—*(Sonríe.)* Tú sabes encandilar a los
hombres...

ADRIANA.—*(Brusca.)* ¿Qué pretendes?

VALINDIN.—Poca cosa. Que te los ganes. *(Se acerca
y se apoya en la silla, aproximando su cara a la de ella.)*
Engatusa sobre todo al pequeño. Es el benjamín y los
demás le quieren bien. Para ti eso es un juego. Y más
con estos pobres diablos, que apenas tratarán con mujeres.

ADRIANA.—*(Ríe.)* ¿Será posible?... ¿Me estás pro-
poniendo tú... ¡tú!, que engatuse al pequeño?

(Ríe a carcajadas.)

VALINDIN.—*(Ríe.)* ¡Sin llegar a nada serio! Sólo un
poco de picardía, y si hay peligro, la galga huye... a mis
brazos.

(Le acaricia una oreja.)

ADRIANA.—*(Riendo inconteniblemente, se zafa de la
caricia y se levanta para pasear.)* Y tú me pagarás con
una linda joya, ¿eh? O quizá con un traje a la góndola.

VALINDIN.—*(Ríe.)* [¡Hola! ¡Qué interesada!] Tendrás tu joya. Ése es el lenguaje de la verdad y no me
desagrada.

ADRIANA.—*(Entre risas, cuyo leve desgarro no capta* VALINDIN.*)* ¡Pobres ciegos!

VALINDIN.—Justo. ¡Y Valindin los sacará de su pobreza aunque sea a la fuerza!

ADRIANA.—*(Dejando poco a poco de reír y secándose una lágrima de hilaridad.)* ¡O aunque sea engatusándolos! *(Risueña.)* ¿De qué va a ser, al fin, el pavo real?

VALINDIN.—*(De mala gana.)* De madera. El terco de Bernier tenía razón.

ADRIANA.—Oye, ¿les has hablado a los ciegos de los disfraces?

[VALINDIN.—¿A qué viene eso?

ADRIANA.—*(Ríe.)* No les habrás dicho nada, ¿verdad?]

VALINDIN.—¿Para qué? [Ya los verán en el ensayo del café, el último día. Mejor dicho, ya los tocarán.] *(La mira, suspicaz. Ella se tapa la cara con las manos y suelta una risita.)* Ya hemos reído bastante, galga. Ahora hay que ganar la partida.

(ADRIANA *descubre su rostro.)*

ADRIANA.—*(Muy seria.)* Para nuestro hijo.

VALINDIN.—Justo. Para ese hijo que te resistes a darme.

ADRIANA.—¡Echa dos copas, Luis! ¡Quiero brindar contigo!

VALINDIN.—*(Alegre.)* ¡Bravo! *(Va a la mesita. Mientras llena.)* Hasta San Ovidio quedan once días. Aprovéchalos bien con ellos.

(Le ofrece una copa.)

ADRIANA.—*(Con extraña entonación.)* ¡Pues por los once días!

VALINDIN.—*(Mirándola fijo.)* ¡Y por Valindin!

ADRIANA.—*(Riendo.)* ¡Y por los ciegos!

VALINDIN.—*(Riendo.)* ¡Y por mi galga!

(Beben entre risas.)

TELÓN

ACTO SEGUNDO

Momentos después de caer el telón del primer acto vuelve a alzarse sobre el escenario oscuro. La luz entra despacio hasta iluminar vivamente el primer término. Dos cortinas negras penden ahora tras los peldaños

> (ELÍAS y GILBERTO, *sentados en los peldaños, aguardan. A poco se oyen garrotes; los dos ciegos levantan la cabeza. Emparejados, entran por la izquierda* NAZARIO y LUCAS.)

ELÍAS.—Estamos aquí, hermanos.

NAZARIO.—¿Todos?

ELÍAS.—Gilberto y yo. *(Tanteando los peldaños con sus garrotes,* NAZARIO y LUCAS *se sientan a su vez. Una pausa.)* ¿Estáis tranquilos?

NAZARIO.—¿Y tú?

ELÍAS.—Yo tengo miedo.

NAZARIO.—¡A mí poco me importa! En oliendo a mujer...

ELÍAS.—Pero de oler no pasas.

NAZARIO.—Ya hablaremos cuando se abra la feria. Catalina no me peta; es sosa. Y a Adriana no hay quien le hinque el diente. (*Ríe, misterioso.*) Como no sea el pequeño, que bien que lo mima. ¡Los caprichos de las hembras! Las hay que gustan de niños más que de hombres.

ELÍAS.—Pero es buena mujer.

NAZARIO.—Todas son buenas para lo que yo me sé.

(*Pausa.*)

ELÍAS.—¿Cuántos días hemos ensayado al fin?

NAZARIO.—Ya serán nueve.

LUCAS.—No. Diez.

ELÍAS.—Diez. Y con el ensayo que hagamos hoy en la barraca, once. Poco es.

LUCAS.—Muy poco.

ELÍAS.—¿Qué tal lo hacemos, Lucas? Tú sabes...

LUCAS.—Yo ya no entiendo.

(*Pausa.*)

GILBERTO.—¿Y por qué abren hoy la feria de San Ovidio?

NAZARIO.—¡Porque hoy es San Ovidio, chorlito!

GILBERTO.—¿Y qué?

NAZARIO.—¡Que te aspen!

ELÍAS.—Ya vienen los otros.

LUCAS.—Sólo es un garrote.

ELÍAS.—Pero dos personas.

NAZARIO.—Entonces, la señora Adriana y Donato. ¡Con su pan se la coma!

> (*Se acerca un garrote. Entran por la derecha* ADRIANA, *de calle, y* DONATO, *de su brazo.* ADRIANA *trae mala cara.*)

ADRIANA.—Ya estamos aquí.

(Los ciegos vuelven la cabeza hacia ella.)

DONATO.—¿Están los demás?
ADRIANA.—Sí. Siéntate, Donato.

(Lo conduce. DONATO se sienta.)

DONATO.—¿Vos no?
ADRIANA.—También.

*(Va hacia la izquierda para mirar, intran-
quila.)*

GILBERTO.—¡A mi lado, señora Adriana!
NAZARIO.—¡Calla, chorlito! Aquí a mi lado, señora.
DONATO.—*(Se levanta.)* Pero ¿por qué nos sen-
tamos?
NAZARIO.—¿Ya te picó el tábano?
DONATO.—Lo digo porque si estamos ya todos...
ADRIANA.—Falta uno.
GILBERTO.—A mi lado, señora Adriana. Contadnos
un cuento.
ADRIANA.—Me sentaré en medio.

(Lo hace.)

DONATO.—¿Quién falta?
ADRIANA.—David.

(DONATO se vuelve a sentar.)

LUCAS.—Hoy no comió en el figón.

(ADRIANA atiende con gran interés.)

ELÍAS.—Tampoco quería que llevasen su violín a la barraca con los nuestros.

NAZARIO.—Ah, ¿no?

ELÍAS.—Yo estaba presente. El señor Valindin llegó a enfadarse. Le ha dicho que mientras trabajemos para él ha de evitar que a alguno se le antoje tocar por las calles.

LUCAS.—Y tiene razón.

NAZARIO.—¿Y por qué no ha venido a comer?

GILBERTO.—*(En su mundo.)* Señora Adriana...

(Mas ella no le atiende, pendiente de lo que hablan.)

NAZARIO.—¿Lo sabes tú, Donato?

DONATO.—Yo no sé... A veces se va solo, o con amigos que yo no conozco... O con alguna mujer.

ELÍAS.—[Pero vendrá. ¿Eh, Donato?] ¡No irá a fastidiarnos ahora!

(En el rostro de ADRIANA se dibuja una ardiente esperanza.)

NAZARIO.—¡Si no viene, lo reviento! Con lo que hemos sudado estos días...

DONATO.—[¿Qué estáis hablando?] ¿No accedió a ensayar como decía el señor Lefranc? Pues vendrá.

(El rostro de ADRIANA se nubla.)

ELÍAS.—¡Hum!... Tú siempre lo defiendes.

(*Un silencio.* ADRIANA *mira a ambos lados con temor.*)

GILBERTO.—Señora Adriana... ¿Por qué nos midieron la cabeza y el cuerpo?

ADRIANA.—Para los vestidos.

GILBERTO.—(*Alegre.*) ¿Serán lindos?

ADRIANA.—(*Turbada.*) Sí.

GILBERTO.—¡Pero el mío será el más lindo de todos!

ADRIANA.—Sí.

DONATO.—¿Qué tal efecto hacemos en la tribuna, señora Adriana?

ADRIANA.—(*Que sufre.*) Bueno.

ELÍAS.—Con las ropas será mejor.

DONATO.—¿Subimos y bajamos bien? ¿No vacila nadie?

ADRIANA.—Nadie.

GILBERTO.—Yo me encaramo a mi pájaro como si fuese el catre del Hospicio. Señora Adriana, ¿verdad que han hecho el pájaro porque yo soy el pajarillo? Éstos no quieren creerlo...

ADRIANA.—Quizá sea como tú dices.

NAZARIO.—Pero ¿cómo diablos es ese pájaro?

GILBERTO.—¡Ya te lo he dicho! Un pájaro de gran cola para subir al cielo.

NAZARIO.—¡Que te aspen!

ELÍAS.—Señora Adriana, no nos engañéis. ¿Qué tal lo hacemos?

ADRIANA.—(*Con los ojos húmedos.*) Muy bien...

DONATO.—(*Con ansia.*) ¿Le agradaremos al público?

ELÍAS.—¿Nos admirarán?

ADRIANA.—Sí, hijos.

(*Esconde el rostro entre las manos.*)

DONATO.—Si pudiera ser…

ELÍAS.—Lo será.

NAZARIO.—¡Lo será, diablos!

GILBERTO.—Y entonces la señora Adriana nos contará los más lindos cuentos. A mí me ha contado cuentos muy lindos…

NAZARIO.—*(Inquieto, aguza el oído entretanto.)* David tarda…

>   *(Ella levanta la cabeza y lo mira. Luego mira a ambos lados.)*

GILBERTO.—Muy lindos.

ELÍAS.—¡Calla, pajarillo!

GILBERTO.—¡No quiero! ¡Un cuento, señora Adriana, un cuento!

ADRIANA.—Ahora no puede ser.

GILBERTO.—*(Lloriquea.)* ¡Sí que puede ser, sí que puede ser!

NAZARIO.—*(Da un golpe con su garrote.)* ¡Ea, contadle su cuento! A todos nos vendrá bien.

ADRIANA.—*(Pone su mano en el hombro de* ELÍAS.*)* ¿Estáis inquietos?

ELÍAS.—Algo.

ADRIANA.—Bueno… Si lo queréis, os lo contaré…

>   *(Con una exclamación de alegría,* GILBERTO *bate palmas.)*

NAZARIO.—¡Que sea muy lindo!

ELÍAS.—Calla.

GILBERTO.—¡Chist!… ¡Callad!

(Se pone el dedo en los labios. Un silencio.
ADRIANA *los mira dolorosamente.)*

ADRIANA.—Había una vez una aldeana muy pobre
que quería y no quería...

GILBERTO.—¡Muy pobre y muy linda!

DONATO.—¡Calla tú ahora!

ADRIANA.—Es cierto. Me olvidaba. Había una vez
una aldeana muy pobre y muy linda que quería y no
quería. Querer y no querer es buena cosa si se sabe
acertar. Pero la aldeanita no sabía. ¿Sabéis lo que
quería?

GILBERTO.—¿Qué quería? *(Se acerca un garrote.*
ADRIANA *se yergue y mira hacia la derecha, demudada.)*
¿Qué quería, señora Adriana? ¿Qué quería?

*(*ADRIANA *se levanta.)*

DONATO.—¡Ya viene David!

*(*DAVID *entra por la derecha.* ADRIANA *lo
ve llegar con profunda decepción e inclina la
cabeza.)*

NAZARIO.—Aquí estamos, David. Mucho has tar-
dado.

DAVID.—He paseado.

GILBERTO.—¡Acabad el cuento, señora Adriana!

ADRIANA.—Hay que ir a la feria.

GILBERTO.—¡Acabad! Era un cuento muy lindo, David. Había una vez una aldeanita sin dinero que quería... *(Vacila.)* venir a París... ¿Es así, señora Adriana?

ADRIANA.—Otro día.

DAVID.—Yo sé cómo sigue. Vino a París con la gente

de las ferias y al rey le pareció tan linda, tan linda, que la hizo condesa. La llamaban la Du Barry.

> (ADRIANA *lo mira, descompuesta. La ruidosa carcajada de* NAZARIO *rompe el silencio.*)

NAZARIO.—¡Este David!...

> (*Se levanta.*)

ELÍAS.—*(Se levanta, dando un golpecito a* GILBERTO.) Vamos a la barraca.

LUCAS.—Id vos delante con Donato, señora Adriana.

> (*Los ciegos se levantan.* ADRIANA *se acerca a* DONATO *y le toma del brazo. Lo conduce.*)

DONATO.—*(Se detiene.)* ¿Vienes, David?

DAVID.—Puedo ir solo.

DONATO.—¿Dónde has estado, David?

> (*Los ciegos, que iniciaban la marcha, se detienen para escuchar.*)

DAVID.—He ido a preguntarle a un amigo estudiante... el significado de algunos pájaros.

ADRIANA.—Vamos.

> (*Tira de* DONATO *y sale por la izquierda. Los ciegos salen tras ellos.* DAVID *sale el último. Las cortinas negras se descorren al tiempo y nos muestran el interior de la barraca, donde crece la luz. En el primer término*

*de su lateral izquierdo y junto a los peldaños,
una tosca mesa de madera rodeada de cuatro
sillas. En el derecho, dos livianas mesitas de
patas curvadas y taraceadas, con dos sillas
cada una. Otras mesas se pierden por los
laterales. Del techo pende una araña de cobre
con las velas apagadas. En el centro y al
fondo muéstrase la tribuna de madera que ha
de ocupar la orquestina. Tiene cerca de dos
metros de altura y unos tres de ancho en total.
En su extremo derecho, la breve plataforma
donde se entronizará el cantor es más elevada
y pasa de los dos metros de altura. La plataforma se encuentra separada del resto de la
tribuna por una escalerilla frontal de acceso
que penetra en el cuerpo de ésta y desde cuyo
extremo superior se baja hacia la izquierda,
mediante escalones invisibles, a los asientos
de los ejecutantes; y, hacia la derecha, se sube
por un par de escalones al trono del cantor.
Los puestos de los ejecutantes se disponen en
dos niveles: en el primero y más bajo se si-
tuarán dos violinistas a los que, de pie, les
oculta las piernas el frente de la tribuna, y al
sentarse, lo hacen sobre el segundo nivel, que
es el mismo en que termina la escalerilla de
acceso. Detrás de los dos primeros violinistas
y sobre ese segundo nivel, se sitúan los otros
dos violines y el violoncello, que pueden a su
vez sentarse sobre un banco corrido allí ado-
sado. Sobre el borde de la tribuna asoman
dos atriles con partituras abiertas; junto a
cada uno de ellos hay una palmatoria. Los
violines descansan ahora sobre los asientos;*

el violoncello está apoyado contra la plataforma del cantor. Ésta es larga de fondo y estrecha de frente. El trono que sostiene es la nota más llamativa del conjunto: consiste en un tosco pavo real de pintada madera con la cola desplegada, cuyo triple abanico de plumas verdes y ojos innumerables dibuja un enorme óvalo de más de metro y medio de alto, que es, a su modo, el respaldo del trono. Sobre los lomos del estilizado pavo real, a cuyo cuello se fijó asimismo un atril, se sentará el cantor. La tribuna está pintada de claros colores, con presuntuosos filetes de purpurina. VALINDIN, *impaciente, se pasea en chupa y mira su reloj; junto a las mesitas de la derecha corrige la posición de una silla.)*

VALINDIN.—¡Catalina! ¿Y esa copa?
CATALINA *(Voz de).*—Ya va, señor.

(Aparece presurosa por el lateral derecho trayendo una bandeja con botella y copa.)

VALINDIN.—*(Por la izquierda.)* Ponla en esa mesa.
CATALINA.—Sí, señor.
VALINDIN.—Con calma, ¿eh? Sin romper nada.
CATALINA.—*(Le tiemblan las manos.)* ¡No me lo digáis, señor! ¡Es peor!

(Deposita la bandeja.)

VALINDIN.—Bueno... [Ya verás lo bien que lo haces.] Vamos al último ensayito y te envío a un recado. Empieza.
CATALINA.—¿Ya?

VALINDIN.—¡Claro!

CATALINA.—*(Se dirige a un cliente imaginario.)* ¿El señor desea nuestro café aromático? [Es el mejor de París, caballero.] Nos lo traen directamente de las Indias... ¿Prefiere el señor una copa de Borgoña?

VALINDIN.—Una botella.

CATALINA.—Sí. ¿El señor prefiere una botella de Borgoña?

(Le mira.)

VALINDIN.—Sirve la copa.

CATALINA.—*(Mientras llena la copa.)* Vuestro Borgoña, caballero. Es un Borgoña delicioso; nuestro proveedor es el que sirve al señor duque...

VALINDIN.—¡A su excelencia!

CATALINA.—A su excelencia el señor duque de Richelieu...

VALINDIN.—Perfecto. [Conmigo prosperarás, yo te lo fío.] Si te piden otro vino es lo mismo, ya sabes: nuestro proveedor es el de su excelencia.

(Toma la copa y bebe.)

CATALINA.—Sí, señor.

VALINDIN.—Ahora escucha. Vas a ir al palacio del señor barón de la Tournelle...

CATALINA.—Ya fui esta mañana. Está en Versalles.

VALINDIN.—¡Por si ha vuelto! Le dices a quien te abra que el señor Valindin solicita respetuosamente del señor barón respuesta a su billete de esta mañana. Que si el señor barón se decidiese a concederme el honor de su presencia, cuidaré de no abrir el café hasta su llegada. ¿Lo has entendido?

CATALINA.—Sí, señor. ¿Lo ensayo también?

VALINDIN.—¡Ya te estás perdiendo de vista! *(CATA-LINA va a recoger la bandeja.)* Y deja eso ahí. *(CATALI-NA corre a recoger su manteleta tras la tribuna. VALIN-DIN apura la copa y vuelve a mirar su reloj.)* ¡Y Adriana sin traer a esos bribones!

> *(CATALINA corre al lateral izquierdo para salir.)*

CATALINA.—Aquí llegan, señor.

> *(Sale. VALINDIN va al lateral.)*

VALINDIN.—¡Ya era hora! *(Vuelve al centro, seguido de ADRIANA y los seis ciegos.)* ¿Por qué tan tarde?
DAVID.—Porque...
ADRIANA.—*(Le interrumpe.)* Porque... me retrasé yo.

> *(DAVID tuerce el gesto.)*

VALINDIN.—¡Pues no es día de retrasos! Pero no quiero reñir a nadie; no hay tiempo. ¡Atended bien todos! *(Los ciegos se le enfrentan en hilera. ADRIANA va al lateral derecho para dejar su manteleta y vuelve a poco.)* Ya conocéis el café. Todo está igual que cuando vinisteis a aprenderos la tribuna donde vais a tocar, salvo que hoy se han puesto las mesas y las sillas, que llegan por vuestra derecha hasta la puerta y por vuestra izquierda hasta la bodega y la cocina. Después del ensayo podréis recorrerlas cuanto queráis. Ahora vamos a lo que importa.. *(Calla un instante, observándolos.)* Estoy muy contento de vosotros. París entero hablará de vuestro gran mérito, no lo dudéis. Pero es menester añadir al espectáculo sus últimos detalles: los trajes y los movimientos... No olvidéis que dentro de tres horas, a las cinco en punto, se abre la feria [y os presentáis ante el público más exigente del mundo]. De vuestra aplicación al ensayo de esta tarde, [no vacilo en afirmarlo,] depende el éxito. Vuestros instrumentos están ya en los asientos. Ahora habréis de aprender a tomarlos de vuestros sitios, vestidos y sin tropezar. Recoge los garrotes, Adriana. Y trae la ropa. (ADRIANA *les va tomando los cayados.*) Deberéis quitaros las casacas: las túnicas son largas.

> (ADRIANA *va tras la tribuna para dejar los cayados.*)

LUCAS.—¿Dónde se llevan los garrotes?

ELÍAS.—¿Y las casacas?

VALINDIN.—Perded cuidado. Detrás de la tribuna hay clavos para colgar todo eso. Vamos, fuera las casacas y los sombreros. (*Torpemente, los ciegos se van despojando de sus casacas y quedándose en sus míseras camisas.*) Traed. Adriana las colgará luego. (*Las va tomando y las deja sobre la mesa de la izquierda.* ADRIANA *volvió ya con un par de túnicas que sacó de un cofre situado a la izquierda de la tribuna.*) Tu casaca, David. (DAVID *se la quita y* VALINDIN *va a dejarla, con los sombreros de todos, mientras dice:*) ¡Ya está aquí la ropa! Mis buenos luises me ha costado, pero todo me parecía poco para vosotros. Ya podéis cuidármela.

ADRIANA.—La vuestra, Lucas. La vuestra, Elías.

> (*Les da las togas.*)

GILBERTO.—Déjame tocar.

(*Palpa la de* ELÍAS. DONATO *y* NAZARIO
palpan la de LUCAS.)

VALINDIN.—[Son muy sencillas.] Se abotonan por
delante. [Las mangas, amplias.] Ayúdalos, Adriana.
ADRIANA.—Sí.

(LUCAS *y* ELÍAS *se ponen sus togas.* ADRIA-
NA *les abotona un poco y vuelve corriendo a
buscar más ropa.*)

GILBERTO.—¿Y la mía?
VALINDIN.—(*Sonríe.*) Ahora la traen, pájaro. [Ten
paciencia.] Cuidad también de no tropezar con los atri-
les y las palmatorias...
DAVID.—¿Qué atriles?
DONATO.—¿Las palmatorias?
VALINDIN.—Se han puesto hoy... Están en el borde
de la tribuna.
DAVID.—No los necesitamos.
VALINDIN.—Componen el cuadro, adornan... Tú eso
no lo puedes entender.
GILBERTO.—¿Es igual que éste mi vestido?
VALINDIN.—No, pájaro. Tú llevas manto y corona
de rey.
GILBERTO.—¿De rey? (*Bate palmas.*) ¡Como en las
comedias!

(VALINDIN *ríe y se interrumpe al ver que*
DAVID *se dirige a la tribuna.*)

VALINDIN.—¿Adónde vas, David?
DAVID.—A... la tribuna.
VALINDIN.—Ya la conoces. Ahora subiréis todos.
ADRIANA.—(*Que volvió cargada de ropa.*) Vuestra

ropa, David. (DAVID *vuelve. Ella le entrega la toga, que él se viste.*) La vuestra, Nazario. La tuya, Donato.

> (*Se las da. Todos se visten.* DAVID *se está palpando su toga. Todas son largas, cerradas hasta la garganta, de vivo color azul y brillantes vueltas de raso naranja en el cuello y las mangas.*)

VALINDIN.—¡Bravo, hijos! Tenéis un gran porte con esa ropa. ¿Verdad, Adriana? (ADRIANA *no responde y vuelve al cofre.*) Pero aún será más solemne cuando os pongáis los gorros... son muy altos y vuestra estatura parecerá la de gigantes. (*Se frota las manos contemplándolos.*) [El espectáculo será bellísimo.]

> (*Entretanto,* DAVID *se dirige de nuevo a la tribuna.*)

GILBERTO.—(*Ansioso.*) ¿Y la mía?
ADRIANA.—(*Que vuelve.*) Aquí está.
VALINDIN.—Primero la túnica. Ven.
GILBERTO.—¡Sí, sí!

> (VALINDIN *le coloca una túnica corta azul celeste, que se abrocha a la espalda y deja visibles las pantorrillas. Entretanto,* ADRIANA *deja el manto sobre una silla y sobre una mesa algo que parece una cabellera y un extraño tocado que ostenta dos largas orejas.*)

VALINDIN.—¡Tú sí que estarás lindo! Abotónalo, Adriana. Y además llevarás barba.

> (*Va a recogerla.*)

GILBERTO.—¿Barba?

VALINDIN.—*(Se vuelve.)* ¡Eres rey! *(Calla y mira a* DAVID.*)* ¡David, te he dicho que ya subirás con todos! *(*DAVID *ha llegado a la tribuna y pasea su mano sobre los atriles y las palmatorias.)* ¡Vuelve aquí!

DAVID.—Las partituras están al revés.

VALINDIN.—*(Desconcertado.)* ¿Sí?... Luego las volvemos. *(Ríe.)* ¡O si no, las dejamos así! ¿Eh? *(Guiña un ojo a* ADRIANA, *que baja la cabeza.)* ¡Sí, es una idea feliz! ¡Para que el público vea bien que sois muy sabios y no os hacen falta!

GILBERTO.—¿Y mi manto?

VALINDIN.—Aquí lo tienes, pajarillo... *(Le pone sobre los hombros el gran manto de púrpura, que abrocha sobre el pecho.)* ¡Ahora sí que eres un verdadero rey de cuento!

GILBERTO.—¡De cuento, señora Adriana! *(Se lo palpa.)* ¡Y es mucho más largo que vuestra ropa! ¡Tocad, tocad! *(*ELÍAS *lo palpa.)* ¿Y mi corona?

VALINDIN.—*(Ríe.)* [Espera, mocito.] Antes hay que cubrir a tus compañeros. Aunque vaya contra el protocolo de su majestad. *(Le pone la mano en el hombro y* GILBERTO *ríe también.* ADRIANA *fue tras la tribuna y ha vuelto con cinco largos capirotes puntiagudos de leve ala, listados de anchas franjas naranjas y plateadas, que terminan en altos remates ornados de pompones y cintillas. Entretanto,* DAVID *se acercó a la escalerilla de la tribuna y está subiendo.* VALINDIN *lo advierte. Empuja con un seco ademán a* GILBERTO *y va a la tribuna. A su vez, los ciegos atienden.)* ¿Qué haces?

DAVID.—Ya lo veis.

(Y sube los escalones laterales para palpar el pavo real.)

VALINDIN.—¡Tu sitio no es ése!

DAVID.—Quiero conocer toda la tribuna. Si tropiezo, he de saber dónde me agarro.

(Palpa, presuroso.)

VALINDIN.—¡Baja! *(Después de palpar el cuerpo, DAVID pasea sus manos sobre la gran cola de madera.)* ¡No toques ahí! ¡Puedes romper la cola!

GILBERTO.—¿Estás en mi pájaro?

VALINDIN.—*(Dispuesto a subir, con un pie en los peldaños.)* ¡Te digo que bajes!

DAVID.—No es un pájaro. Es un pavo real.

VALINDIN.—Eso mismo. ¿Y qué?

DAVID.—*(Después de un momento.)* Nada.

VALINDIN.—¡Ven por tu gorro!

DAVID.—Ya voy.

(Comienza a descender.)

VALINDIN.—Repártelos, Adriana. *(ADRIANA los va dando. Todos los palpan.)* Acostumbraos a ponéroslos. Es sencillo: las cuerdas de los lados son para atarlos a la barbilla.

(LUCAS se lo pone. ELÍAS y NAZARIO se los encasquetan varias veces para probar.)

DONATO.—¿No es muy alto?

VALINDIN.—Pero muy firme. No se caerá.

(DAVID volvió al grupo bajo la suspicaz mirada de VALINDIN. ADRIANA va a su lado.)

ADRIANA.—Vuestro gorro, David.

(DAVID *lo toma y lo palpa.*)

DAVID.—¿No es más bella la cabeza descubierta?

VALINDIN.—¿Qué sabes tú? Tú no ves. Con los gorros parecéis astrólogos, sabios... Músicos... de la Antigüedad. Justo: músicos de la orquesta del rey Gilberto. ¡Vamos contigo, Gilberto! Primero la barba...

(*Va a tomarla.*)

DAVID.—¿Por qué una barba?

VALINDIN.—(*Quemado.*) ¡Porque es el rey! ¡Y ponte tu gorro! Sólo faltas tú. (DAVID *vacila pero se pone el gorro.*) Pon atención, pajarillo. La barba se sujeta a las orejas con estas dos cuerdecitas. Así. (*Se la pone. Es una grotesca barba rubia de guardarropía en forma de pala.* GILBERTO *se la toca.*) ¡Toca, toca! Eres la estampa de un monarca griego.

DAVID.—¿Griego?

VALINDIN.—Es un decir.

(*Le hace a* ADRIANA *una singular seña: una «O» con los dedos sobre un ojo.* ADRIANA *suspira y va tras la tribuna, de donde vuelve a poco con una cajita que deja sobre la mesa de la izquierda.*)

GILBERTO.—(*Entretanto.*) ¡Y ahora, mi corona!

VALINDIN.—(*Recoge el tocado.*) ¡La corona de su majestad! Es una corona a la antigua, ¿sabes? Un casco y dos hermosas alas a los lados.

GILBERTO.—¡Dos alas hermosas para el pajarillo!

VALINDIN.—Justamente. Baja la cabeza... Así. *(Se la coloca. Es un casco de purpurina plateada con borde y broche frontal dorados, de cuyos lados emergen dos espléndidas orejas de asno.* GILBERTO *se lo toca y ríe, feliz.* VALINDIN *retrocede.)* ¡Nunca se vio orquesta igual! ¡Adriana, mira qué hermosura! ¿No es cierto que están imponentes?

> *(Ante el triste grupo de adefesios, le hace señas apremiantes de que asienta.)*

ADRIANA.—*(Elude mirarlo.)* Aún falta algo, ¿no?

VALINDIN.—Sí. Ese toque de gracia que alivia la solemnidad sin destruirla...

> *(*DAVID *se acercó a* GILBERTO *y palpa su casco.)*

GILBERTO.—¿Quién me toca?

DAVID.—Las alas de este gorro no son alas.

VALINDIN.—*(Que iba hacia la cajita, se vuelve como un rayo.)* Ah, ¿no? ¿Qué son?

DAVID.—No son alas. Y el pavo real es el emblema de la necedad.

VALINDIN.—¿Sí? Pues sabes más que yo.

DAVID.—*(Nervioso.)* No. Vos sabéis más que nosotros...

VALINDIN.—Entonces, ¡cállate!

DAVID.—Pero yo sé que el pavo real significa eso. Es el animal que pintan al lado del más necio de los reyes.

DONATO.—¡Sigue, David!

DAVID.—El rey Midas, a quien le nacieron orejas de asno por imbécil. Tú eres el rey Midas, Gilberto. Y lo que llevas en la cabeza son dos orejas de burro.

(*Murmullos entre los ciegos.* GILBERTO *se las toca.*)

VALINDIN.—(*Con ira y despecho.*) ¿Tú qué sabes? ¿Qué sabe un ciego? ¡Nada! (*A* ELÍAS, *que está tocando las orejas del casco.*) ¡Son alas! ¿No lo notas, Elías? ¡Alas! ¡Además, no serás tú, David, quien estará en el pájaro! Basta de monsergas y escuchadme todos, hijos. Aún falta el último toque. (*Va a la cajita y saca de ella unas enormes gafas de cartón negro, sin cristales.*) Vosotros habéis de fingir que veis y que leéis las partituras... Como las canciones son cómicas, es necesario para la gracia del conjunto. ¡Y no os importe que vuestros gestos hagan reír! Al contrario: cuanto más... graciosos estéis, mejor. Ahora lo ensayaremos. Para ello es menester que os pongáis estos... anteojos de cartón. (*Los va dando.*) Se sujetan en las orejas. (*Se los pone a* NAZARIO.) Así. (NAZARIO *va a quitárselos.*) ¡No te los quites! Tenéis que habituaros a llevarlos. Ea, ponéroslos. (*A* GILBERTO, *que se adelanta.*) Tú no tienes, Gilberto. Un rey no lleva anteojos.

(LUCAS *se pone los suyos.* ELÍAS *y* DONATO *los palpan, indecisos.*)

DAVID.—(*Muy nervioso, después de haber palpado los suyos los arroja al suelo.*) ¡Basta!

(*Un gran silencio.*)

VALINDIN.—*(Glacial.)* ¿Qué haces?

(ADRIANA *recoge, asustada, las gafas.)*

DAVID.—¡Queréis convertirnos en payasos!
VALINDIN.—*(Lento.)* Aunque así fuere. Los payasos ejercen un oficio honrado. A veces ganan tanta fama que el mismo rey los llama.

(NAZARIO *se quita sus gafas.)*

DAVID.—¡Nosotros no seremos payasos!
VALINDIN.—¿Qué seréis entonces? ¿Muertos de hambre y de orgullo?
ADRIANA.—Luis…
VALINDIN.—¡Calla tú! *(Suave.)* ¿No hacíais reír por las esquinas? ¿Qué os importa hacer reír un poco aquí?
DAVID.—¡No queremos que nos crean imbéciles!

(Se arranca el gorro y lo tira.)

VALINDIN.—¡Nadie os lo llama!
DAVID.—¡Vos nos lo llamáis! ¡El pavo real, las orejas de asno, las palmatorias, nuestras muecas para leer las partituras al revés… y nuestra horrible música! Cuanto peor, mejor, ¿no? ¡El espectáculo consistía en servir de escarnio a los papanatas! ¡Vámonos, hermanos!

(Da unos pasos.)

DONATO.—¡Vámonos!
VALINDIN.—*(Sujeta a* DAVID *por el pecho.)* ¡Quieto!
ADRIANA.—¡Eso no, Luis!
DAVID.—*(Al tiempo.)* ¡No me toquéis!

VALINDIN.—*(Lo suelta.)* No te toco.

DAVID.—¿Y mi casaca?

VALINDIN.—*(Suave.)* Eso. ¿Y vuestras casacas? ¿Y vuestros garrotes?

> *(Los ciegos se rebullen, inquietos, y se agrupan instintivamente.)*

DAVID.—¡Los encontraremos!

NAZARIO.—¡Nos iremos así!

DONATO.—*(Al tiempo.)* ¡Vámonos ya!

VALINDIN.—*(Grita.)* ¡Sí, pero a la cárcel!

DONATO.—¿A la cárcel?

VALINDIN.—¡A mí no me colgáis el espectáculo! Hay un contrato y lo cumpliréis. ¿No queríais ser hombres como los demás? Pues lo seréis para [cumplirlo y para] aguantar que se rían de vosotros.

DONATO.—¡Hermanos! ¡David tiene razón, como siempre!

VALINDIN.—¿Y qué? ¿Payasos? ¡Bueno! ¿Qué importa?

DAVID.—¡Los imbéciles de los ciegos, que creen poder tocar y dan la murga!

DONATO.—¡Tan imbéciles como el pavo real y el asno!

VALINDIN.—¡Pero comeréis! ¡Dejad que rían! ¡Todos nos reímos de todos; el mundo es una gran feria! ¡Y yo soy empresario y sé lo que quieren! ¡Enanos, tontos, ciegos, tullidos! ¡Pues a dárselo! ¡Y a reír más que ellos! ¡Y a comer a su costa! *(Con enorme desprecio.)* ¡Y dejaos de... músicas! *(Con una gran voz dominante.)* ¡Vamos! ¡Los anteojos y a ensayar!

> *(Los ciegos vacilan; el grupo se disgrega.)*

NAZARIO.—*(Se vuelve a poner las gafas.)* ¡Que los cuelguen a todos!

(ELÍAS suspira y se pone las suyas.)

VALINDIN.—Todos se los ponen, David. Dale los suyos, Adriana.

> *(ADRIANA le toma las manos para darle sus gafas. DONATO acaricia las suyas, indeciso.)*

DAVID.—*(Pone sus manos a la espalda.)* ¡No!

VALINDIN.—Pero ¿quién te crees que eres, hijo de perra? *(Va a DONATO y lo zarandea.)* ¿Y tú, monigote? *(DONATO grita, asustado por la súbita agresión.)* ¡Ciegos, lisiados, que no merecéis vivir! ¿Sabéis lo que hacen con los niños ciegos en Madagascar? ¡Yo he sido marino y lo he visto!

DAVID.—¡No lo digáis!

ADRIANA.—¡Luis, por Dios santo!

VALINDIN.—*(Zarandeando a DONATO.)* ¡Los matan! ¡Los matan como a perros sarnosos!

> *(DONATO lanza un grito inhumano y se suelta.)*

DONATO.—¡No!... ¡No!

> *(Corre, presa de su espanto; tropieza con las sillas; derriba una.)*

ADRIANA.—¡Donato!

> *(Y corre a sujetarlo.)*

DAVID.—¡Donato! ¡Hijo!

> (*Lo busca.* GILBERTO *lloriquea. Los demás ciegos se rebullen sin saber qué hacer.*)

DONATO.—¡Lo que quiera!... ¡Lo que él quiera!...

> (*Cae de rodillas.* ADRIANA *intenta levantar- lo.* DAVID *llega a su lado.*)

DAVID.—¡Donato!

> (*Entre* ADRIANA *y él lo levantan.*)

VALINDIN.—¡Suéltalo, Adriana!
ADRIANA.—¡No tienes corazón!

> (*Oprime a* DONATO *contra su pecho.*)

VALINDIN.—Pero ¿qué le ocurre?
DAVID.—(*Duro.*) Yo sé lo que le ocurre.
ADRIANA.—Cálmate, hijo...
DONATO.—¡Lo que él quiera, David! ¡Nos encarce- lan, nos matan! ¡Hay que ceder!
DAVID.—(*Muerde las palabras.*) ¡Hay que salir!
DONATO.—(*Con un alarido.*) ¡No!... Ceder... Ceder...

> (*Y vuelve a derrumbarse, sollozando. Larga pausa.*)

DAVID.—(*Con un hondo suspiro.*) Dadme mis anteo- jos, Adriana. (*Con los ojos arrasados,* ADRIANA *se los da.*) Ponedle los suyos al muchacho. Vamos a ensayar.

(Se pone sus gafas. VALINDIN *suspira también y recoge las gafas que* DONATO *dejó caer, tendiéndoselas a* ADRIANA. *Ella se las arrebata con un seco ademán.)*

ADRIANA.—Yo te los pondré, Donato.

(Lo aúpa y él se deja hacer, dócil. Ella le pone las gafas. VALINDIN *saca un pañuelo de hierbas y se enjuga la frente.)*

NAZARIO.—*(Murmura, amargo.)* Que los cuelguen...

(CATALINA entra por la izquierda y se queda estupefacta al ver a los ciegos.)

CATALINA.—¡Huy!

(Y rompe a reír. ADRIANA *le indica en vano que calle.)*

VALINDIN.—*(De mal humor.)* ¿Qué te han dicho?
CATALINA.—*(Entrecortadamente, pues no puede contener las ganas de reír.)* Que... el señor barón... no ha vuelto de Versalles...
VALINDIN.—*(Se pega con rabia un puñetazo en una mano.)* ¡A ensayar!

(Los ciegos dan media vuelta y se encaminan, lentos, hacia la tribuna. ADRIANA *recoge el gorro caído y se lo da a* DAVID, *el cual se lo pone, sombrío, mientras camina. Las cortinas negras van ocultando la barraca, al tiempo que la luz crece en el primer término. Suenan cinco campanadas en la lejanía.*

Rompiendo cortinas, VALINDIN *aparece muy sonriente y baja los peldaños. Viste ahora su casaca de ceremonia, verde pálido con bordados de plata, y lleva un suntuoso tricornio galoneado, de lazo rojo y blancas plumas. No ciñe espada, pero en la mano trae un largo bastón de corte. Redoble de tambor.)*

VALINDIN. *(Al público.)*
«¡Si sois de los que entienden y nada les contenta,
venid y convenceos de la gran novedad!
En ninguna otra parte, salvo aquí, se presenta,
y tan bello espectáculo nunca vio la ciudad.
Ved los músicos ciegos en lo alto de su trono,
que orgullosos y alegres os quieren enseñar
lo bien que rivalizan por dar mejor el tono
¡a las canciones que todo París va a escuchar!»
(Redoble de tambor. VALINDIN *da un bastonazo en el suelo.)* ¡Pasen las bellas damas y los gentiles caballeros, pasen! *(Señala hacia la izquierda. Por la derecha entran* LATOUCHE *y* DUBOIS, *dos polizontes en hábito civil.* LATOUCHE *tiene en su cara algo de zorro;* DUBOIS, *de dogo.* VALINDIN *se inclina.)* ¡Señor Latouche, cuánto honor para mi pobre café!

LATOUCHE.—*(Se inclina.)* Señor Valindin... Os presento al señor Dubois, uno de mis hombres. *(Reverencias.)* Vuestro pregón es por demás curioso [y no querría perderme el espectáculo].

VALINDIN.—Si me hacéis la merced de entrar, Adriana os acomodará en la mejor mesa. Estaba guardada para el señor barón de la Tournelle, que ha sentido tanto no poder venir... *(Señala a la izquierda.)* Por aquí, caballeros. *(Entre zalemas, les acompaña al lateral.)* [Espero que sabréis dispensarme si no os acompaño... Os ruego que pidáis cuanto os plazca.] La casa se considera muy feliz en convidaros...

LATOUCHE.—Gracias, señor Valindin.

> *(Sale con* DUBOIS *por la izquierda.* VALINDIN *vuelve al centro, al tiempo que aparece por las cortinas* CATALINA *y le sisea.)*

CATALINA.—Todo lleno, señor. Sólo quedan dos o tres sitios.

> *(*VALINDIN *sonríe y va a subir. En ese momento entra por la derecha* VALENTÍN HAÜY, *y él lo advierte.* HAÜY *es un mozo de veinticinco años, de agradable fisonomía y aire distraído, que avanza con las manos a la espalda. Su indumento es el de un burgués pulcro y sencillo.* VALINDIN *le hace una seña a* CATALINA *para que desaparezca y ella sale por las cortinas.)*

VALINDIN.—¡Pasen, bellas damas y gentiles caballeros, pasen! ¡Vean a los músicos ciegos, el espectáculo más filantrópico de todo París! *(*HAÜY *se detiene y le escucha. Luego se encamina a la izquierda y sale, siguiendo la cortés invitación del brazo de* VALINDIN. VALINDIN *se estira su casaca y se vuelve hacia las cortinas con gran prestancia, al tiempo que éstas se descorren. La araña está encendida; el público, que permanece cubierto, ríe y charla en las mesas. Dos damiselas de medio pelo y un pisaverde toman café y vino en la mesa de la izquierda. En la primera mesita de la derecha,* LATOUCHE *y* DUBOIS *son servidos por* ADRIANA, *que les escancia copas. En la otra mesita, un viejo matrimonio burgués*

*toma café. La tribuna está oculta por una cortina verde,
donde brilla la plateada línea de la silueta de una galga
corredora, bajo la cual, en grandes letras también plateadas, se lee: «A la Galga Veloz.»* VALINDIN *sube los
peldaños y se sitúa ante la cortina verde. Luego da tres
sonoros golpes con su bastón y el público apaga sus
murmullos.* ADRIANA *desaparece por el lateral.)* ¡Atención, noble auditorio y honradas gentes de París! El gran
espectáculo filantrópico va a comenzar. (VALENTÍN
HAÜY *entra por la izquierda, pide licencia a las damiselas y al galán para sentarse en la silla sobrante y lo hace.*
CATALINA *corre a atenderle, recibe en voz baja el pedido
y sale por el lateral derecho.)* ¡Damas y caballeros, [he-
mos pensado muchos años en un espectáculo que fuese
digno de vuestro mérito y que lograse vuestra benevo-
lencia! ¡Un espectáculo humanitario, científico, alegre!]
¡A vuestro superior e inapelable fallo sometemos con
toda humildad... la maravillosa orquestina de los ciegos!

> *(*CATALINA *vuelve a poco con la bandeja,
> deposita una jícara ante* HAÜY *y le sirve de
> una cafetera, saliendo luego por el lateral.*
> VALINDIN *vuelve a dar tres golpes en el suelo
> y señala a la cortina verde para retirarse al
> punto hacia la derecha. La cortina se alza.
> En la tribuna, los ciegos se presentan a plena
> luz.* GILBERTO *cabalga el pavo real, con un
> cetro de madera en la mano, que mantiene
> levantado;* LUCAS *sostiene su violoncello y a
> su lado están* ELÍAS *y* NAZARIO. *En la pri-
> mera fila y de izquierda a derecha,* DONATO
> *y* DAVID. *Menos* GILBERTO, *todos están de
> pie, con los instrumentos dispuestos; las ga-
> fas dan a sus caras sin luz cierto aire de pa-*

*jarracos nocturnos. Las dos palmatorias han
sido encendidas. Un murmullo de sorpresa
corre por el café. Ceremoniosamente, los ciegos se inclinan y luego los violinistas se sientan y empuñan sus instrumentos. Risas.* DO-
NATO, NAZARIO, ELÍAS, *fingen mirar las
partituras.)*

BURGUESA.—¡Huy, qué anteojos!
DAMISELA 1.ª—¡Mirad! ¡Mirad ése del pavo real!
PISAVERDE.—¡Es la vanidad misma!

(GILBERTO, *en sus glorias, da la señal.)*

GILBERTO.—¡Una, dos, tres!

*(Arrancan los instrumentos y comienza a
cantar. Violines, violoncello y cantor dan
exactamente el mismo tono: una viva y machacona melodía a toda fuerza, ejecutada
con mecánica precisión y sin el menor sentimiento.* ADRIANA *y* CATALINA *cruzan y
vuelven a cruzar de un lado a otro llevando
servicios en sus bandejas ante la complacida
mirada de* VALINDIN, *que se apoya en su
bastón.)*

GILBERTO.—*(Marcando el compás con su cetro.)*
    Corina la pastora
    enferma está de amor.
    El médico le dice
    que busque a su pastor.
    Los corderitos balan:
    —Bee, bee, bee—

(Pizzicato *y coreado por los ciegos.*)

> triscando alrededor.
> Corina, suspirante,
> —Ay, ay, ay—

(Pizzicato *y coreado por los ciegos.*)

> se enciende de pudor.

*(Las carcajadas, los comentarios, arrecian.
Menos* DAVID *y* LUCAS, *los demás ciegos
extremaron sus gesticulaciones grotescas; y es
justamente* DONATO *quien más se esfuerza
en ello. Así surgen cuando, tras un segundo
de pausa, atacan la segunda estrofa.)*

DAMISELA 2.ª—¡Tienen las partituras al revés!
PISAVERDE.—*(Ríe.)* ¡Pero bien iluminadas!
GILBERTO.—El lindo pastorcito
> apenas sabe hablar.
> Corina le sonríe
> con ganas de llorar.
> —¿Quieres ser mi cordero.
> tú, tú, tú,

(Pizzicato *y coreado por los ciegos.*)

> y conmigo triscar?
> —No entiendo lo que dices.
> Yo, yo, yo,

(Pizzicato *y coreado por los ciegos.*)

> yo sólo sé balar.

BURGUÉS.—*(Descompuesto de reír.)* ¡Son como ani-malillos!

BURGUESA.—¡Orejas de burro ya tienen!

> *(VALENTÍN HAÜY da un fuerte puñetazo en la mesa y se levanta, lívido. Las damiselas gritan; los burgueses miran preguntando qué sucede. LATOUCHE lo mira fijamente.)*

PISAVERDE.—*(Se levanta.)* ¡Caballero!

> *(GILBERTO, con su sonrisa lela, inicia la tercera estrofa.)*

GILBERTO.—Triscan los corderitos...

> *(Los ciegos, desconcertados, no le siguen. VALINDIN se acerca rápidamente a HAÜY, que, presa de la ira, no acierta a hablar. CATALINA y ADRIANA se detienen con sus bandejas.)*

VALINDIN.—¿Desea algo, caballero?

VALENTÍN HAÜY.—Sí.

DUBOIS.—*(A LATOUCHE, empezando a levantarse.)* ¿Voy?

> *(LATOUCHE lo retiene y se levanta él para acercarse despacio.)*

VALINDIN.—¿Y puede saberse lo que es?

VALENTÍN HAÜY.—Si os lo dijera no os complacería.

BURGUESA.—Pero ¿quién es?

VOCES.—¡Fuera! ¡Que lo echen!

LATOUCHE.—*(Se inclina.)* Latouche, comisario de Policía. Vuestro nombre.

(DUBOIS se va acercando a su vez.)

VALENTÍN HAÜY.—Valentín Haüy.

PISAVERDE.—¡Es un borracho!

VALENTÍN HAÜY.—Soy intérprete en el Ministerio de Negocios Extranjeros.

(VALINDIN y LATOUCHE se miran.)

VALINDIN.—*(Ríe.)* Conque Valentín, ¿eh? Pues yo me llamo Valindin, y os voy a decir lo que deseáis: ¡marcharos!

VALENTÍN HAÜY.—Eso es lo que voy a hacer.

(Arroja una moneda sobre la mesa.)

LATOUCHE.—¡Y aprisa, caballero!

VALINDIN.—Recoged vuestra moneda. [Paga la casa.]

VALENTÍN HAÜY.—Dádsela a los ciegos. ¡Si vieran, qué espectáculo para ellos!

VOCES.—¡Que se calle! ¡Que sigan tocando! ¡Fuera!

DAVID.—¿Qué ha dicho?

(Los ciegos cuchichean.)

LATOUCHE.—¡Salid ya!

DAMISELA 1.ª—¡Sí, sí, que se vaya!

VALENTÍN HAÜY.—*(Eleva la voz y se dirige a la tribuna.)* ¿Preguntabais qué he dicho? ¡He dicho que si vierais, el público sería otro espectáculo para vosotros! ¡No lo olvidéis!

LATOUCHE.—*(Le aferra del brazo y le empuja.)* ¡Fuera de aquí!

> *(Las voces de «Fuera», «Que sigan», arrecian. El* BURGUÉS *hace gestos consternados.* HAÜY *se desprende con un irritado ademán y sale por la izquierda.)*

VALINDIN.—*(A* LATOUCHE, *en voz queda.)* Gracias... *(*LATOUCHE, DUBOIS *y el* PISAVERDE *vuelven a sentarse.* VALINDIN *vuelve al centro.)* ¡Nada importante, señores y señoras! *(Ríe.)* ¡Un loco! ¡Un misántropo en esta edad de filántropos! ¡El gran concierto de los ciegos va a continuar!

VOCES.—¡Eso! ¡Sí! ¡Que sigan!

VALINDIN.—*(Hacia la tribuna.)* ¿Dispuestos? *(Los ciegos vuelven a empuñar sus violines.* DAVID *titubea.)* ¿Dispuestos? *(*DAVID *levanta el suyo.)* ¡Adelante con la tercera estrofa, pajarillo! *(Da tres golpes con su bastón, mientras dice:)* ¡Uno, dos, tres!

> *(Los ciegos continúan su murga.* ADRIANA *y* CATALINA *reanudan sus pasadas.* VALINDIN *lleva el compás con la cabeza. Crecen las risas; los balidos son coreados por el público.)*

GILBERTO.—Triscan los corderitos
en torno de los dos.
Corina estaba roja
y rojo está el pastor.
Corina se le acerca:

–¡Bee, bee, bee!– (Pizzicato y *coreado*.)
pregunta con ardor...
Y a poco, muy juntitos
–¡Bee, bee, bee!– (Pizzicato y *coreado*.)
corderos son los dos.

(Entre las carcajadas delirantes y sobre las
muecas, las gafas, los bamboleantes cucuru-
chos de la orquestina, va cayendo el

TELÓN

ACTO TERCERO

[La sala del Hospicio de los Quince Veintes, con sus azules cortinas flordelisadas. SOR LUCÍA, en pie junto a ellas. VALINDIN espera, a la izquierda, con el sombrero bajo el brazo. Por la derecha entra la PRIORA seguida de SOR ANDREA, que se retira junto a las cortinas

VALINDIN.—*(Se inclina.)* Dios guarde a vuestra reverencia.

PRIORA.—Él sea con vos, señor Valindin. Me dice sor Andrea que venís a entregar el resto de vuestra manda.

VALINDIN.—Así es, reverenda madre.

PRIORA.—¿Ha terminado ya la feria?

VALINDIN.—Aún quedan cinco días.

PRIORA.—¿Entonces?

VALINDIN.—No os sorprenda, madre. Al día siguiente saldremos para las ferias del Mediodía y debo cuidarme de muchos asuntos... He pensado que, ante todo, debía cumplir con el Hospicio.

PRIORA.—Os damos las gracias.

VALINDIN.—*(Se acerca y saca una bolsa, que tiende a*

la PRIORA.*)* Si vuestra reverencia quiere contar las otras cien libras...

PRIORA.—*(Sin moverse.)* Sor Andrea.

> (SOR ANDREA *recoge la bolsa, encaminándose al lateral.)*

VALINDIN.—*(Desconcertado.)* ...Y extenderme un recibo en forma... *(*SOR ANDREA *se detiene y lo mira.)* Es por la claridad de mis cuentas. Mi memoria es tan débil...

PRIORA.—Sor Andrea os traerá en seguida un cumplido reconocimiento de vuestra manda.

VALINDIN.—*(Al ver que la monja va a salir, adelanta otro paso.)* ¿Sin contarlas?

PRIORA.—*(Sonríe fríamente.)* Estamos seguras, señor Valindin, de que habréis contado perfectamente vuestras cien libras.

VALINDIN.—*(Se inclina, humillado.)* Sois muy gentil.

> (SOR ANDREA *sale por la derecha.)*

PRIORA.—Nuestros cieguecitos rezan por vos desde el primer día, caballero.

VALINDIN.—Lo sé, reverenda madre.

PRIORA.—Y los vuestros, ¿están contentos? Aquí vuelven muy tarde y yo apenas los veo ya... Les habéis entregado al siglo tan completamente...

VALINDIN.—¡Pero con el más feliz resultado, madre! Trabajan con tal primor que, puedo decirlo sin vanidad, nuestro espectáculo ha sido el más concurrido de toda la feria. ¡Aún más que la Ópera Cómica! Con deciros que durante cuatro días hubo que demoler la pared delantera del café para que el gentío que quería verlos no la destrozase... Fue menester contenerlos con un cordón de fusileros que el Chatelet tuvo a bien enviar cada día a esos efectos...

PRIORA.—¡Virgen santa!

VALINDIN.—Eso nos obligaba a un gran trabajo diario, pues por la noche no quería dejar aquello abierto.

PRIORA.—Así, pues, estáis satisfecho.

VALINDIN.—Un gratísimo resultado, madre. Todo París habla de nosotros y repite nuestras canciones.

PRIORA.—Mis parabienes. Y los músicos, ¿están contentos? ¿No habéis tenido ninguna diferencia, ningún incidente?

VALINDIN.—¡Nada fuera de lo corriente, madre! Alguna impaciencia natural durante los ensayos... Nada.

PRIORA.—*(Después de un momento.)* ¿Es cierto, señor Valindin, que los violines de esos ciegos se guardan durante la noche en la barraca?

VALINDIN.—Estáis bien informada, madre.

PRIORA.—Quisiera haceros un ruego. Uno de esos ciegos tiene particular devoción por la música...

VALINDIN.—*(Serio.)* Sé a quién os referís.

PRIORA.—A los demás les afecta menos. Pero a él..., ¿no podríais permitirle guardar su violín personalmente?

VALINDIN.—Me duele, madre, que se haya quejado a vos. No tiene motivo alguno; en confianza, os digo que es el más díscolo y el más indisciplinado de todos.

PRIORA.—No es una queja. Es un ruego que yo os traslado.

VALINDIN.—Ya le dije a él que no podía ser. Alega que quiere tocar para su placer. Pero yo pregunto: ¿dónde? Al Hospicio sólo viene a dormir; no tiene otro sitio para tocar que la calle, y eso no puede consentirse...

Hay un contrato, madre. Vos misma lo firmasteis en su nombre.

(SOR ANDREA *vuelve con un papel enrollado.*)

PRIORA.—*(Fría.)* Cierto. No insisto.

(*Mira a* SOR ANDREA.)

SOR ANDREA.—Vuestro documento, caballero.

VALINDIN.—*(Lo toma.)* Mis más rendidas gracias. *(Sonriente, lo desenrolla.)* Permitid que lo lea, madre... Me conmueve tanto el considerar cómo una simple hoja de papel puede encerrar tanta piedad, tantas oraciones para mí... *(Lo lee por encima, suspira y lo enrolla.)* Madre, vuestro tiempo es precioso. No os cansaré más. Concededme vuestra licencia para retirarme.

PRIORA.—*(Sin ofrecerle el rosario.)* Que Dios os proteja.

VALINDIN.—*(Se inclina profundamente.)* Él sea con vos, reverenda madre.

SOR LUCÍA.—Seguidme, caballero.

(*Sale por la izquierda, seguida de* VALINDIN.)

PRIORA.—Sor Andrea, si ese caballero vuelve algún día a esta casa, yo no estaré para él. ¿Entendido?

SOR ANDREA.—Sí, reverenda madre. Pero... ¿es un caballero?

PRIORA.—*(Se encoge de hombros.)* Lleva espada.

(Se vuelve y se encamina rápida a la derecha.)

SOR ANDREA.—Las cien libras estaban cabales, reverenda madre.

PRIORA.—*(Que se detuvo al oírla.)* Bien.

(Sale, seguida de SOR ANDREA. *Las cortinas se descorren ante] la casa de* VALINDIN. *La puerta del fondo se abre y* DAVID *entra bruscamente. Tras él,* CATALINA, *que intenta en vano detenerlo.)*

CATALINA.—¡Que aquí no podéis estar! ¡Que el señor ha dicho que aguardéis todos en el zaguán!

DAVID.—Que aguarden los otros.

CATALINA.—¡Hacedme la merced de salir!

DAVID.—Sal tú y cierra la puerta.

CATALINA.—Si no salís me tendré que quedar con vos, ¡y aún tengo mucho trajín antes de ir a la barraca!

DAVID.—*(Risueño, mientras va a sentarse.)* Como todos los que trabajamos para el señor Valindin. Para él no somos personas, sino limones. Catalina, no me voy a llevar nada y tampoco acostumbro a beber. Sé buena y vete.

CATALINA.—¿Para que él me riña luego? ¡Quia!

DAVID.—*(Se levanta de pronto y la agarra del brazo, empujándola sin contemplaciones.)* ¡Quiero estar solo! ¿Entiendes? ¡Me muero de ganas de estar solo! ¡Fuera!

(Asustada, CATALINA *retrocede. Él la echa y cierra con un portazo. Con la mano en el pomo escucha unos segundos. Luego suspira y vuelve a sentarse, abandonando su garrote*

entre las piernas. Se pasa la mano por la cara y cierra los ojos. Apoya la cabeza en las manos. Muy quedo, comienza a modular con la boca cerrada el adagio de Corelli. Su canturreo gana intensidad; está nervioso. Levanta la cabeza bamboleante y la reclina en el respaldo, sin dejar de tararear. Los brazos insinúan desmayadamente el ademán de quien toca un violín imaginario... Los puños se cierran con un golpe brusco sobre sus rodillas, pero la garganta no cesa de recordar. De pronto calla y escucha. Las manos vuelven al cayado. La voz de ADRIANA *se oye tras la puerta, que se abre.)*

ADRIANA *(Voz de).*—¡Pues muy mal hecho! ¡Él no tiene por qué entrar aquí! *(*DAVID *se levanta.)* Déjalo de mi cuenta y vete a tus cosas. *(Se ve a* ADRIANA *en la puerta con un capacho.)* Toma, llévate esto.

> *(Le tiende el capacho a* CATALINA, *que lo recoge, y entra, cerrando la puerta. Viene de la calle, con cofia y manteleta. Se vuelve y contempla a* DAVID *con intensa mirada.)*

DAVID.—Está bien, no digas nada. Ya me voy.

ADRIANA.—*(Mientras se quita la cofia, sin dejar de mirarlo.)* No os vayáis aún. *(Avanza hacia la derecha, despojándose de la manteleta.)* ¿Os ha citado Luis a todos?

DAVID.—Sí.

ADRIANA.—¿A esta hora?

DAVID.—Dentro de media hora.

ADRIANA.—Muy pronto habéis venido.

DAVID.—Quería estar solo en algún lado.

(Ella lo mira un momento y sale por la derecha a dejar sus cosas. A poco se oye su voz.)

ADRIANA *(Voz de).*—¿Por qué os ha citado?

DAVID.—¿No lo sabes tú?

ADRIANA.—*(Vuelve a entrar.)* No.

DAVID.—Yo tampoco. ¿Qué quieres de mí?

ADRIANA.—Hablar. *(Él hace un movimiento de impaciencia: dos o tres leves golpes de su garrote lo subrayan.)* Sabéis muy bien que no dejo de intentarlo. Pero [en la barraca es difícil porque él siempre está allí y además porque...] vos siempre lo evitáis. *(Un silencio.)* ¿Tanto me despreciáis?

DAVID.—¿Qué pretendes? ¿No te basta con haberte ganado a ese pobre tonto de Donato? [Y ahora, ¿qué le vas a dar? ¿Más zalamerías?] ¡Sigue, sigue jugando con él y ríete después! ¡Destrózalo... a tu placer, porque yo no puedo, no puedo impedirlo! *(Pasea, cada vez más nervioso, trabucándose.)* ¡Pero a mí no pretendas engañarme! ¡Yo sé bien cómo eres!

ADRIANA.—¡Tú no sabes cómo soy!

DAVID.—*(Ríe.)* ¿Ya me tuteas?

ADRIANA.—*(Casi llorosa.)* ¡Pero no por desprecio!

DAVID.—¿Por qué entonces? *(Un silencio. Sin atreverse a responder,* ADRIANA *se sienta, desfallecida.)* Déjanos a todos en paz. Tú y tu Valindin os habéis salido con la vuestra. Ahora somos los payasos de la feria y mis compañeros ni siquiera lo lamentan ya: se han acostumbrado. ¿No ganamos para vosotros buenos dineros? ¿Qué más quieres?

ADRIANA.—*(Débil.)* Yo no soy como él.

DAVID.—*(Después de un momento.)* Ramera.

(Y va, rápido, al fondo para salir.)

ADRIANA.—Sí, soy una ramera. *(Él se detiene con la mano en el pomo.)* Y tú estás en lo cierto: él me ordenó engatusaros. Eso era lo que quería decirte.

DAVID.—Lo reconoces.

ADRIANA.—Sí.

DAVID.—¿Por qué?

ADRIANA.—¡Porque yo no soy como él!

DAVID.—*(Se vuelve lentamente.)* ¿Cómo eres tú?

ADRIANA.—¡Tú sabes que yo os he defendido, que he intentado ayudaros! [¡Tú lo sabes, David!] Debes admitir... que lo sabes.

DAVID.—Pero sigues con él.

ADRIANA.—*(Se levanta y va a su lado.)* ¡Como vosotros! He rodado mucho y sé lo que es el hambre. ¡También vosotros seguís con él, también tú te has quedado! Él os ha atrapado como me atrapó a mí. Ya ves que no somos tan distintos. *(*DAVID *baja la cabeza. Se acerca a la mesa, tantea una silla y se sienta.)* [Pero yo sé que tú te avergüenzas cada día más cuando tocas en la barraca. Y también yo me avergüenzo cada día de seguir con él.]

DAVID.—*(Con una amarga sonrisa.)* Todo es acostumbrarse, ¿no? Creo que yo también podré acostumbrarme. Y seguiremos con él...

ADRIANA.—No, David. Yo... te miro a menudo cuando tocáis y sé que estás desesperado, que ya no puedes más..., aunque no hayas vuelto a llorar.

DAVID.—¿Qué dices?

ADRIANA.—¡Te vi llorar el primer día, cuando todos aquellos imbéciles se reían de vosotros! ¡Me daban ganas de gritar!

DAVID.—¡Cállate!

ADRIANA.—¡Tú no debiste llorar! ¡Tú, no! Eso déja-
selo a él, que también llora a veces... el muy cerdo. ¡Tú
debiste insultarlos a todos, [sublevar a tus compañeros,]
volverle a él loco de rabia! ¡Yo... lo esperaba! Me decía:
«¡Ahora, ahora lo hace!...» Llevo años esperando ver...
a un hombre.

DAVID.—Pero yo no lo era y lloré como una mujer.
Los ciegos no somos hombres: ése es nuestro más triste
secreto. Somos como mujeres medrosas. Sonreímos sin
ganas, adulamos a quien manda, nos convertimos en
payasos..., porque hasta un niño nos puede hacer daño.
¡Vosotros no podéis saber lo fácil que es herirnos! Lloré
en la barraca... y sabía que todos me miraban. Pero
¿qué importaba? Yo estaba solo... Estoy solo.

ADRIANA.—No digas eso.

DAVID.—Vigila tus palabras cuando hables a un ciego. Es casi imposible ayudarnos, y tan fácil herirnos...

ADRIANA.—Yo no quiero hacerte daño. Ni a Donato
tampoco. *(Va a sentarse al otro lado de la mesa.)* Tú
quieres bien a ese muchacho, ¿verdad?

DAVID.—Como al hijo que no tendré. ¡A ése al menos déjale tranquilo!

ADRIANA.—¿Qué le pasa?

DAVID.—Nada.

ADRIANA.—Tú has dicho...

DAVID.—¡No he dicho nada!

ADRIANA.—Tú dijiste una vez: «Yo sé lo que le
ocurre.»

DAVID.—¿Cuándo?

ADRIANA.—Cuando abrimos la feria. Cuando Valindin dijo que a los ciegos... los mataban en las islas y
Donato gritó tanto que tú... cediste. ¿Qué le pasa?

[DAVID.—¿Qué es eso? ¿Curiosidad de mujer?

ADRIANA.—Tómalo así si quieres.]

DAVID.—De nada serviría que lo supieses.

ADRIANA.—Quiero ayudaros.

DAVID.—¡No puedes, necia, no puedes! También Donato está asustado hasta los huesos y nadie podrá quitarle el susto.

ADRIANA.—¿Por qué está asustado?

(Breve pausa.)

DAVID.—Desde niño. Las viruelas le dejaron ciego a los tres años. En el campo no servía de nada y su padre, que apenas tenía más cabeza que las bestias que cuidaba, le escatimaba la comida y le molía a palos. Es del Limousin, y allí siempre hubo más miseria que en otros lugares. Cuando contaba cinco o seis años todas las cosechas se perdieron y la gente se moría de hambre. Entonces su padre lo quiso matar.

ADRIANA.—¡Virgen María!

DAVID.—Era un estorbo y una boca más. El chico se dio cuenta porque ya no eran palos; eran las manos de su padre que le acogotaban entre blasfemias... Pudo zafarse y escapó [a todo correr, medio ahogado,] a campo traviesa, a ciegas... [Tropezando, desollándose, huyendo de aquella fiera; buscando la muerte...] A los dos días le encontraron desvanecido y lleno de sangre en el camino real. [Lo recogió] un coche que pasaba [y] lo trajo a los Quince Veintes... Yo le compré el violín. Yo le he enseñado la música que sabe.

(Un largo silencio.)

ADRIANA.—No me lo has dicho todo, ¿verdad?

DAVID.—No.

ADRIANA.—Sigue.

DAVID.—¿Para qué? Nada puedes hacer por el pequeño...

ADRIANA.—¿Tú qué sabes?

DAVID.—*(Después de un momento.)* Cada uno de nosotros es como un pozo, Adriana. Si te empeñas en mirar al fondo, puedes caer.

ADRIANA.—Di lo que falta.

DAVID.—*(Titubea.)* Hace tiempo que también le asustan... las mujeres. Es ya un hombrecito y sabe que su cara es repulsiva. Intenta olvidarlo, ríe y hasta presume... A menudo cuenta cómo una criadita le llamó desde una ventana en ausencia de los señores... y le enseñó a amar. En el Hospicio se ríen de él porque no le creen. Pero yo sé que es cierto, porque sé quién es ella. Me costó poco averiguarlo; sé las esquinas donde toca y conozco a la gente de los barrios. Y ella misma me lo contó, muerta de risa..., la muy puerca.

ADRIANA.—¿Qué te contó?

DAVID.—El pequeño probó... en vano. *(Iracundo.)* ¡Ella se reía de sus viruelas, de su torpeza!... Lo puso en la puerta entre insultos y burlas... Yo le oí llorar toda la noche, porque duerme a mi lado. Y a menudo, cuando cree que yo duermo, vuelve a llorar. Pobre hijo. Desde entonces no ha querido volver a aquella esquina. Eso fue lo que me dio la pista. *(Calla. Ella solloza en silencio.)* Tampoco llores ante un ciego.

ADRIANA.—¿También así te hago daño?

DAVID.—También.

(Se levanta y se aleja. Una pausa.)

ADRIANA.—*(Llorando.)* ¿Por qué me has contado eso?

DAVID.—*(Ríe.)* ¿No querías saber? ¿Qué dices ahora?

ADRIANA.—*(Llorando.)* ¿Es un reto?

DAVID.—¡No he hablado para ti! A veces es imposible callar... ¡Pero no he hablado para ti! Para ti, no.

ADRIANA.—¿Para quién entonces? ¿Para Melania de Salignac?

DAVID.—*(Da un golpe con su cayado.)* ¡Ah! ¡El pequeño se ha ido también de la lengua! ¡Hasta eso has logrado de nosotros, especie de víbora! ¡Pues sí, entérate! ¡Para ella hablo y para ella toco! Y a ella es a quien busco... A esa ciega, que comprendería... ¡Dios mío!

(Esconde la cabeza entre las manos.)

ADRIANA.—*(Secándose los ojos, con voz entera.)* A esa ciega, que lee en los libros de algún modo que tú no consigues entender.

DAVID.—*(Levanta la cabeza.)* ¿Piensas que me importa si tú tampoco crees en ella?

ADRIANA.—Te engañas. No dudo de que exista... Pero supongo que será rica.

DAVID.—¿Y qué?

ADRIANA.—Sólo así habrá podido aprender lo que sabe. Figúrate, una ciega... Es rica y por eso no es de los tuyos. Ella nunca habrá padecido miedo, o hambre..., como nosotros.

(Pausa.)

DAVID.—¡Maldita seas!

ADRIANA.—*(Se levanta.)* ¿Prefieres seguir soñando con esa mujer a encontrar... una mujer de carne y hueso? *(Breve pausa.)* A ti las mujeres... no te asustan, eso se nota. Pero no te fías [de ninguna]. De nadie. [Es otro susto el que tú tienes,] ¿Verdad? Te asusta la vida entera. No te atreves a creer que nadie pueda tener buenos sentimientos.

DAVID.—¡Cállate!

ADRIANA.—*(Muy turbada, da unos pasos hacia él.)*
Y por eso sueñas con tu Melania. Pero [¿qué puede tu
Melania?] ¿Qué es capaz de hacer esa damisela remilga-
da [y rodeada de criados] al lado de una mujer entera y
verdadera?

DAVID.—¿Callarás?

> *(Silencio.* DAVID *vuelve a la silla. Se sienta y
> pasea sus nerviosas manos por el garrote.
> Ella se vuelve a mirarlo, muy conmovida.)*

ADRIANA.—Yo acepto tu reto.

DAVID.—¡No ha habido ningún reto!

> *(*ADRIANA *vuelve a la mesa, mirándole fi-
> jamente.)*

ADRIANA.—Yo le demostraré a ese muchacho...

DAVID.—*(Tembloroso.)* ¡Guárdate de intentarlo!
¡Acabarás de hundirlo!

ADRIANA.—*(Triste.)* Olvidas que tengo experiencia.

> *(Se sienta de nuevo.)*

DAVID.—Pero... ¿qué persigues? ¿Un triunfo para tu
vanidad? *(Con la voz velada.)* ¿Disfrutar acaso?

ADRIANA.—¿Crees que no siento repulsión? Es más
difícil de lo que se dice ser una viciosa en mi oficio.
Pero, al fin, uno más... ¡Bah! La vida es una porquería.

DAVID.—*(Tiembla visiblemente; se expresa con dificultad.)* Entonces, ¿por qué? ¿Por qué?

> *(Y golpea con su puño sobre la mesa.
> ADRIANA tiembla también. Por toda res-*

puesta, extiende su mano sobre la mesa y toma dulcemente la de él. DAVID se estremece violentamente; al fin, se levanta turbadísimo y se aleja. Ella se levanta también, con la respiración alterada. Un silencio.)

ADRIANA.—Le pedí a Luis hace días que te dejase tu violín. No quiso ni escucharme… Pero insistiré. Aunque toques para esa señorita ciega.

DAVID.—No puedo creerte.

(Vuelve el silencio, que interrumpe de pronto la puerta del fondo al abrirse. VALINDIN entra y los mira.)

VALINDIN.—¿Qué hace éste aquí?

ADRIANA.—Le he retenido yo… hablándole de las ferias que vamos a hacer.

VALINDIN.—¿Aún no vino Lefranc?

ADRIANA.—¿Aquí?

VALINDIN.—¿Quién se creerá que es? Lo cito aquí porque no quiere ni poner los pies en el café después del éxito, y aún hay que aguardarle.

ADRIANA.—¿Qué le quieres?

VALINDIN.—Ahora lo sabrás, porque no puedo perder tiempo. *(Vuelve a la puerta.)* ¡Venid vosotros! *(Se aparta y entran los cinco ciegos.)* ¡Aprisa, aprisa! *(Ellos se apresuran torpemente y él vuelve a la puerta.)* ¡Catalina! ¡Si viene el señor Lefranc que entre en seguida! *(Cierra y se enfrenta con el grupo de ciegos.)* Escuchad lo que os voy a decir, hijos míos. Os he llamado porque me habéis demostrado que se puede confiar en vuestro celo. [Dentro de poco salimos para el Mediodía.] Vosotros habréis advertido que el público ya no llena el café como antes. Y se comprende: las diez canciones del repertorio están ya muy oídas. En febrero volvemos para la feria de San Germán, y yo... he pensado que, en vuestro propio beneficio, deberíais traer por lo menos cinco canciones nuevas. Pero habréis de aprenderlas aquí, en los días que nos quedan. *(Ríe.)* Trabajo duro, como al principio; a vosotros se os puede pedir. [Cinco días: una canción por cada día, que terminaréis de ajustar durante el viaje.] ¿Qué os parece? Es la única manera de volver a quedarnos con el público de París. *(Un silencio.)* ¿Qué dices tú, Elías?

ELÍAS.—Yo... no sé. Que hable Lucas.

LUCAS.—Habría que pensarlo.

VALINDIN.—*(Ríe.)* [Justamente es lo que no podemos hacer.] ¡No queda tiempo! Ea, ¿quién dijo miedo? ¡Decidíos!

DAVID.—Ya está decidido. No.

VALINDIN.—*(Le mira fríamente.)* Deja que hablen los demás.

DAVID.—Ya tenemos bastante público.

VALINDIN.—*(Se encrespa.)* [¡Tú no entiendes de esto!] ¡El público te abandona si no le das cosas nuevas! ¿No hablabas con Adriana de las ferias? ¡Pues que te lo diga Adriana, que las conoce bien! *(Le hace furiosas señas a* ADRIANA *para que le ayude.)* [¡Díselo, Adriana!]

*(*ADRIANA *lo mira sin contestar.)*

DAVID.—Convencednos, señora. ¿O no lo aprobáis?

*(*VALINDIN *vuelve a apremiarla por señas.* ADRIANA *se dirige a la puerta de la derecha.)*

VALINDIN.—¿Dónde vas? *(ADRIANA sale. VALINDIN va tras ella.)* ¡Adriana!

ADRIANA *(Voz de)*.—¡No me encuentro bien!

(DAVID ríe. VALINDIN lo mira, desconcertado. Rápido, vuelve al fondo y abre.)

VALINDIN.—¡Catalina! ¡Catalina!

CATALINA *(Voz de)*.—Señor...

(Y aparece en la puerta.)

VALINDIN.—¿Aún no vino el señor Lefranc?

CATALINA.—No, señor.

(VALINDIN la despide con un gesto.)

VALINDIN.—¡Y yo tengo que irme! *(Se enfrenta con los ciegos.)* ¿Qué dicen los demás? ¿Nadie habla?

DAVID.—Nada tienen que hablar. [Mientras yo diga que no, es que no.] Eso está fuera del contrato.

NAZARIO.—Bueno... Podría pensarse..., si el señor Valindin nos pagase más.

VALINDIN.—No. Eso no puede ser..., por desgracia. Apenas quedarían beneficios, y ahora, con los gastos del viaje, menos. ¡Pero debéis comprender que se os pide [ese esfuerzo] porque os conviene a vosotros!

DAVID.—No.

(VALINDIN va a estallar. Al fin se contiene y vuelve a la derecha.)

VALINDIN.—¡Adriana, he de salir! ¡Aquí te los dejo! Espero que sabrás convencerlos... [Sabes que a ellos les conviene.] Si viene Lefranc, ponle al corriente y que les hable. Y llévalos tú misma a la barraca; yo ya no volveré. *(Se acerca a los ciegos.)* Pensadlo, hijos. Y no os retraséis, ¿eh?

> *(Sale aprisa por el fondo. Portazo lejano, NAZARIO, suspirando, va a sentarse a una silla. GILBERTO y ELÍAS se sientan en el suelo. LUCAS, DONATO y DAVID permanecen de pie.)*

GILBERTO.—Señora Adriana...

DAVID.—No está aquí.

NAZARIO.—¿Hay que esperar?

ELÍAS.—Por si viene el señor Lefranc.

DAVID.— Si no lo vamos a hacer, no hay que esperar a nadie.

NAZARIO.—¿Y si nos paga más?

DAVID.—¡No más payasadas! *(NAZARIO se encoge de hombros. Pausa.)* A no ser que...

> *(Calla. ELÍAS levanta la cabeza.)*

ELÍAS.—¿Qué?

DAVID.—¡Escuchadme! ¡Es nuestra última oportunidad! *(ADRIANA entra silenciosa y escucha desde la puerta con los ojos húmedos.)* Aprenderemos esas cinco canciones y seguiremos de hazmerreír por las ferias..., si él consiente en que yo, ¡yo solo!, os vaya enseñando acompañamientos a todos. ¡Cuando volvamos en febrero, seremos una verdadera orquesta! ¡Seremos hombres, no los perros sabios en que nos ha convertido! ¡Aún es tiempo, hermanos! ¡Ayudadme! *(Un silencio.)* ¡Tú amaste la música, Lucas! ¡Di tú que sí!

LUCAS.—¿Cuándo vas a dejar de soñar?

ELÍAS.—Ni siquiera nos deja los violines...

DAVID.—¡Nos los dejará si le exigimos eso! ¡Pero tenemos que pedírselos unidos! ¡Unidos, hermanos!

NAZARIO.—¡Basta! ¡Soy yo ahora quien dice que no! [Lo que tú quieres es un sueño y, además, no me importa.] ¡A mí me importa el dinero, y más no nos va a dar, ya lo has oído! Conque déjanos en paz.

DAVID.—¡Nos tiene atados por un año! ¡Es nuestra última oportunidad, hermanos! *(Pausa.)* ¿Nadie dice nada? *(Dulce.)* Donato...

DONATO.—*(Frío.)* Yo no digo nada.

(A DAVID *se le nubla el rostro.)*

DAVID.—Tenéis la suerte que os merecéis.

ELÍAS.—*(Va a levantarse.)* ¡Te voy a cerrar la boca!...

(Pero DAVID, *certero, le asesta con el cayado un golpe de punta que lo vuelve a sentar.* ELÍAS *grita.)*

DAVID.—¡Guárdate de mi garrote, Elías! ¡Es como un ojo!

*(*ADRIANA *avanza unos pasos, inquieta.)*

ELÍAS.—¡Loco de mierda!...

LUCAS.—No riñáis, hermanos. Ya hemos dicho todos que no.

ELÍAS.—*(Se levanta.)* Vámonos, pajarillo.

*(*GILBERTO *se levanta y los dos van a la puerta.)*

DAVID.—*(Se lleva las manos a la cabeza en un rapto de desesperación.)* ¡Yo tengo que tocar!

> *(Solloza secamente.* ADRIANA *le mira entre lágrimas.* DONATO *da un paso hacia él, pero se detiene.* ELÍAS *y* GILBERTO *se paran a su voz; luego salen.)*

LUCAS.—*(Suspira.)* Voy con vosotros...

> *(Sale a su vez por el fondo.* DAVID *solloza en silencio. Lentamente se sienta en el suelo, junto a* NAZARIO. *Éste, al sentirle, le oprime el hombro en un tímido ademán amistoso.* DAVID *se separa rápidamente.)*

NAZARIO.—No lo pienses más. Valindin nos ha atrapado. Pero si no lo hace él, lo habría hecho otro. Estamos para eso. *(Se inclina y baja la voz.)* ¡Si pudiese, les reventaba los ojos a todos! Pero ¿cómo? Sólo en la oscuridad podríamos con ellos, y el mundo está lleno de luz. Hasta por las noches hay luna. ¡Pero a mí nadie me quita el gusto de relamerme pensando en colgarlos uno a uno!... *(Ríe, se levanta y le da una palmada afectuosa.)* [Te lo recomiendo. Alivia bastante.] ¿No vienes?

DAVID.—No. *(*NAZARIO *va al fondo y sale.* ADRIANA *mira a* DAVID *y a* DONATO *con obsesiva fijeza. Luego cruza, sigilosa. Vuelve a mirarlos desde el fondo y sale.)* ¿Eh? ¿Quién es? *(Un silencio.)* ¿Adriana?

DONATO.—Ha debido de ser ella quien ha cruzado. Ahora no está.

DAVID.—*(Se levanta.)* ¿No te has ido?

DONATO.—Te... esperaba.

DAVID.—No tengo ganas de caminar, hijo. Vete si quieres.

DONATO.—*(Lento.)* Yo no soy tu hijo. Y no te dejaré solo con ella.

DAVID.—*(Se acerca.)* ¿Qué estás diciendo?

DONATO.—¿Crees que no sé lo que te pasa?

DAVID.—¡No digas ni una palabra más! *(Le toma del brazo.)* ¡Y vámonos!

DONATO.—*(Se suelta.)* ¿Quién eres tú para mandarme?

DAVID.—¡Vámonos!

DONATO.—¡Yo no me voy! Ella me prefiere a mí.

DAVID.—¿Por qué dices eso?

DONATO.—¡Porque tú la quieres! [¡Y me la quieres quitar!] Pero no la tendrás… *(*DAVID *le da un bofetón.* DONATO *gime. Un silencio. Le tiemblan los labios cuando añade:)* Esto no lo olvidaré nunca, David.

*(*ADRIANA *reaparece en el fondo y los mira.)*

DAVID.—Perdóname, hijo mío…

DONATO.—¡No me llames hijo!

ADRIANA.—*(Dulce.)* ¿Por qué no, Donato? Él te quiere bien. Más de lo que crees.

DONATO.—*(Amargo.)* ¿Él?…

ADRIANA.—David, Catalina ha salido a un recado. ¿Querríais salir vos también? Quiero hablar con Donato… a solas.

DONATO.—*(Trémulo.)* ¿Conmigo?

ADRIANA.—Sí. *(*DAVID *está demudado.)* ¿Queréis dejarnos, David?

DAVID.—*(Con gran esfuerzo.)* Sí.

> *(Se encamina al fondo. Al pasar a su lado, ella le oprime una mano en silencio y él se detiene, sobrecogido. Luego se desprende y*

> *sale, rápido. Cuando los golpes de su garrote*
> *se extinguen,* ADRIANA, *que miraba la mano*
> *que él ha abandonado, se acerca a* DONATO
> *y le toma una de las suyas.)*

ADRIANA.—¿Otra vez tiemblas? Pero tú sabes que
yo también te quiero bien...
DONATO.—Yo... Yo...
ADRIANA.—Ven, muchacho. Ven.

> *(Lo conduce a la derecha y salen por la puer-*
> *ta, que se cierra. La luz crece en el primer*
> *término. Por la izquierda aparece* DAVID.
> *Encorvado, va a sentarse a los peldaños.*
> *Desmayadamente, deja el garrote a su lado;*
> *luego esconde la cabeza en sus crispados pu-*
> *ños. Momentos después aparece* LEFRANC
> *por la derecha y va a cruzar. Al divisar al*
> *ciego, aminora su marcha y se detiene a su*
> *lado.)*

LEFRANC.—¿Están arriba vuestros compañeros?
DAVID.—*(Levanta despacio la cabeza.)* ¿Eh?
LEFRANC.—Soy el señor Lefranc. Os preguntaba...
DAVID.—Ya sé. El señor Valindin no podía aguarda-
ros y se ha ido.
LEFRANC.—¡Otra de sus impertinencias! [Yo también tengo mis asuntos; si me retraso un poco, podría él
esperarme alguna vez.] Bien. Decidle que ya me llamará
cuando le plazca; que yo no vuelvo. *(DAVID asiente*
débilmente. LEFRANC *lo mira, intrigado.)* ¿Os sucede
algo? *(DAVID deniega.* LEFRANC *se encoge de hom-*
bros.) Adiós.

> *(Se encamina a la derecha.)*

DAVID.—*(Levanta la cabeza.)* Señor Lefranc.

LEFRANC.—*(Se vuelve.)* ¿Qué?

DAVID.—*(Se levanta.)* Señor Lefranc, oídme unas palabras.

LEFRANC.—*(Vuelve a su lado, contrariado.)* Decidlas pronto, que estoy de prisa.

DAVID.—¿Verdad que nuestro espectáculo es indigno, [señor Lefranc?]

LEFRANC.—¡Es intolerable! [¿Y queréis saber por qué? Pues porque] vosotros, que no sabéis ni solfear, les estáis quitando el pan a los mejores músicos de la feria. ¡Así es el público!

[DAVID.—Pero vos seguís ayudando al señor Valindin.

LEFRANC.—¡También yo he de comer, amigo mío! Además, eso no es cuenta vuestra.]

DAVID.—Yo quiero alejarme de esa indignidad.

LEFRANC.—*(Mira a todos lados y le pone la mano en el brazo.)* Haréis bien.

DAVID.—Ayudadme vos.

LEFRANC.—*(Retrocede.)* ¿Cómo?

DAVID.—¿No podría yo entrar como el último de los violinistas en la Ópera Cómica?

LEFRANC.—*(Con muy mala cara.)* Estáis sujetos a un contrato...

DAVID.—Si vos le habláis, él me cederá. No me soporta. ¡Ayudadme, señor Lefranc! Yo podría hacerlo, yo sé tocar... *(LEFRANC le mira fijamente.)* ¿No?... *(LEFRANC se muerde los labios.)* Vos habéis dicho que toco bien el violín...

[LEFRANC.—*(Se aclara la voz.)* No niego que tenéis disposición... Pero de eso a tocar como un profesional...

DAVID.—]—¡Si vos me ayudáis yo estudiaría mucho!

LEFRANC.—¿De oído? No, David. [Vos no podéis

juzgaros, pero...] hay que tocar mucho mejor que vos para entrar en la Ópera Cómica, o en cualquier otro puesto... *(DAVID busca el escalón con el pie y vuelve a sentarse.)* Lo siento.

DAVID.—Perdón, señor Lefranc.

LEFRANC.—*(Va a añadir algo y decide no hacerlo.)* Quedad con Dios.

> *(Va hacia la derecha. Antes de salir se vuelve a mirar a DAVID, que no se ha movido. Luego mira al suelo, muy turbado, y se santigua en silencio. Sale. Una pausa. El tío BERNIER entra por la izquierda y mira a DAVID mientras camina. Va a pasar de largo, lo piensa y se detiene.)*

BERNIER.—Soy el tío Bernier. ¿Aguardáis al señor Valindin?

DAVID.—A nadie.

BERNIER.—He llamado a su casa y no me han abierto. ¿Sabéis si va a volver?

DAVID.—Dijo que no.

BERNIER.—*(Suspira.)* Siempre me pasa lo mismo. *(Observa a DAVID.)* ¿No sois vos el que llaman David?

DAVID.—Sí.

BERNIER.—*(Vacila; se sienta a su lado.)* Mal año, ¿eh?

DAVID.—¿Hay alguno bueno?

BERNIER.—No para mí. En el café está entrando un río de oro, pero a mí aún no me han pagado. Y ahora dice que le haga la caja para llevar el pavo real a provincias y que me pagará al final.

DAVID.—¡No se la hagáis!

BERNIER.—Entonces no cobro nada: le conozco. *(Baja la voz.)* Con él no quiero disgustos. [Mi gente me espera en la aldea crujiendo de hambre...] El año pasado se me murió el pequeño; no había ni raíces para comer, y el pan era de helecho... Hogaño está París más lleno que nunca de campesinos.

DAVID.—Algo habría que hacer.

BERNIER.—Eso pienso yo. Y en el campo, cuanto antes. Porque [de poco sirve que la cosecha venga buena.] Ni los curas ni los señores quieren oír hablar de impuestos, y todo sale de nuestras costillas. Y todavía nos obligan a trabajar abriendo caminos, mientras las mujeres y los rapaces se enganchan para el laboreo con la tripa vacía, porque tampoco quedan bestias... Mi Blas está enfermo de eso; se priva y nadie le acierta el mal. *(Suspira.)* Esta noche temblará de miedo y gritará, el pobre...

DAVID.—¿Por qué?

BERNIER.—Le espanta la oscuridad, y esta noche no hay luna.

DAVID.—*(Después de un momento.)* ¡Cuántas cosas necesitan remedio!

BERNIER.—¡Y habrá que encontrarlo, moler! Pero abriendo el ojo, que los palos duelen hasta los huesos. *(Calla un instante.)* Tened vos cuidado, David.

DAVID.—¿De qué?

BERNIER.—*(Mira a todos lados y se acerca, bajando la voz.)* Les he oído hablar de vos en el café.

DAVID.—¿A quiénes?

BERNIER.—A él... y al señor comisario de Policía. ¿Sabéis lo que es una carta secreta?

DAVID.—No.

BERNIER.—Un papel que firma el rey para encerrar

a alguien sin juzgarlo. Las venden caras. Y a veces también las regalan.

DAVID.—¿Las venden?

BERNIER.—Ellos creen que no se sabe, pero venden demasiadas..., y se sabe. El padre viejo que estorba, el marido celoso... ¡Hala! ¡A pudrirse a la cárcel!

DAVID.—¿Será posible?

BERNIER.—Todo es posible para quien lleva espada. Y el señor Valindin [la lleva, aunque no es de sangre noble. Tiene protectores en la corte y] es hombre peligroso. Yo le oí que..., si le fastidiabais más de la cuenta..., os metía en chirona con una carta secreta.

(Un silencio.)

DAVID.—*(Busca la mano del tío* BERNIER *y se la oprime.)* Gracias, tío Bernier.

BERNIER.—¡Chist! Ahí viene.

DAVID.—¿Quién?

BERNIER.—El señor Valindin.

(Se levanta.)

DAVID.—*(Se levanta muy asustado.)* ¿No os engañáis?

> *(*VALINDIN *entra presuroso por la derecha y se detiene al verlos.* BERNIER *se inclina humildemente.)*

VALINDIN.—¿Todavía aquí? El café va a abrirse. Ya puedes trotar.

BERNIER.—Señor Valindin...

VALINDIN.—No puedo atenderos ahora, Ireneo.

(Sigue su camino.)

BERNIER.—¡Es que no tengo para comer, señor Valindin!

VALINDIN.—¡Decid mejor que no tendréis para comer si yo no os doy trabajo!

BERNIER.—Con un pequeño adelanto me arreglaría...

VALINDIN.—Ya os lo di.

(DAVID *se interpone en su camino.*)

DAVID.—Yo... he de hablaros.

VALINDIN.—En el café. [Ahora estoy de prisa.]

(*Le aparta y pasa.*)

DAVID.—(*Lo sujeta.*) Es importante...

VALINDIN.—(*Se desprende.*) ¡No me toques!

DAVID.—En vuestra casa ya no hay nadie.

VALINDIN.—Bueno.

DAVID.—Permitidme que os diga...

VALINDIN.—(*Se vuelve y lo empuja.*) ¡Vete al café!

(*Sale.* DAVID *sale tras él.*)

DAVID (*Voz de*).—¡Señor Valindin! (BERNIER *suspira. Luego se vuelve lentamente para salir por la derecha. La luz crece en la casa. Una pausa.* VALINDIN *entra por el fondo, y tras él* DAVID, *que vuelve a tirar de él.*) Señor Valindin, vamos a la calle...

VALINDIN.—Que te vayas te he dicho.

DAVID.—Pero con vos...

VALINDIN.—(*Se lo sacude.*) ¡A ti ya te arreglaré yo!

Tú estás loco, y a los locos se les encierra. [¡Te haré encerrar!]

(Se quita el tricornio y lo deja sobre una silla.
DAVID *vuelve a tomarle del brazo.)*

DAVID.—Escuchadme…

VALINDIN.—*(Le empuja.)* ¡Fuera de mi casa! *(Se despoja de la casaca y se dirige, rápido, a la derecha. Cuando va a entrar en la alcoba aparece en la puerta* ADRIANA, *en peinador y muy pálida.)* Creí que ya no estabas. ¿Qué haces sin vestir?

ADRIANA.—Se me iba la cabeza… Me eché un poco.

VALINDIN.—[Vístete pronto y] compone bien. ¡Hoy viene al fin al café el señor barón de la Tournelle! Vengo a ponerme la casaca buena y a cambiar de sombrero.

(Va a entrar.)

ADRIANA.—Yo te las saco…

VALINDIN.—Tardo yo menos.

ADRIANA.—Vienes sin resuello… Tómate una copa mientras yo te lo traigo.

VALINDIN.—Lo que tienes que hacer es vestirte y aprisa.

ADRIANA.—Pero…

VALINDIN.—¡Déjame pasar!

(La aparta y sale.)

ADRIANA.—*(Musita.)* ¡Dios mío!…

DAVID.—*(En voz queda.)* ¿Le has escondido?

ADRIANA.—Mal.

(Pausa.)

DAVID.—Nos iremos hoy mismo.

ADRIANA.—¡Si no podréis! Nada se puede contra él... ¡Calla!

> *(Fija sus ojos espantados en la puerta. Con la cara descompuesta por la ira aparece* VALINDIN, *que trae aferrado por el pescuezo a* DONATO, *encogido y trémulo, con las ropas mal ceñidas. Hay un silencio tenso, durante el que las miradas de* ADRIANA *y* VALINDIN *se cruzan como espadas.* VALINDIN *arroja al suelo a* DONATO, *que gime sordamente.)*

VALINDIN.—*(Va hacia ella.)* ¡Puta!

ADRIANA.—*(Retrocede.)* ¡No!

VALINDIN.—¡Viciosa! ¡Con un ciego comido de viruelas y medio lelo! *(DAVID la protege con su cuerpo.)* ¡No te interpongas tú, basura! Tú lo sabías y los guardabas, ¿eh? ¿Esperabas tu turno? ¿O la has gozado ya? ¿Te gozaron ya todos, Adriana?

ADRIANA.—¡Di lo que quieras!

VALINDIN.—¡Has convertido mi casa en un burdel! [Pero qué digo: lo es desde que te traje a ella.] Lo tengo bien merecido, por iluso. ¡Asquerosa galga!...

> *(La aferra de un brazo sin que* DAVID *pueda impedirlo, la atrae hacia sí y la abofetea. Ella grita.* DAVID *crispa sus manos sobre el garrote.)*

DONATO.—*(Se incorpora.)* ¡No la peguéis!

> *(VALINDIN se vuelve y lo tira al suelo de un taconazo. DONATO grita.)*

DAVID.—*(Grita.)* ¡Nos iremos si dais un golpe más!

VALINDIN.—*(Se vuelve como un rayo.)* ¡Os iréis cuando yo lo diga, no antes! No le daré a esto más importancia de la que tiene. Bastará con unos cuantos golpes saludables. Las mujeres no entienden otro lenguaje, y vosotros, por lo visto, tampoco.

ADRIANA.—Nos iremos, Luis.

VALINDIN.—*(Se abalanza a ella como una fiera.)* ¡Perra! ¡Perra!

> *(La golpea sin piedad. A los gritos de ella, DONATO acude tanteando.)*

DONATO.—¡No!

> *(Intenta golpearle. Sujetando a ADRIANA, que gime, VALINDIN despide lejos a DONATO de una puñada. DONATO cae sobre una silla, que vuelca, con un alarido de dolor. DAVID está levantando el garrote.)*

ADRIANA.—*(Que lo ve.)* ¡Eso no, David!

> *(VALINDIN se vuelve rapidísimo.)*

VALINDIN.—¡Bribón!

> *(Apresa en el aire el garrote y con una torsión vigorosa se lo arranca a DAVID y lo arroja al suelo. Luego le retuerce el brazo contra la*

espalda y le obliga a arrodillarse. DAVID
gime.)

ADRIANA.—¡Son ciegos, Luis!

VALINDIN.—Entérate, imbécil. Eres ciego. ¡Y débil!
Nunca intentes nada contra un hombre con los ojos en
su sitio.

ADRIANA.—¡Le vas a romper el brazo!

VALINDIN.—No. (Le suelta. DAVID queda de rodillas, cogiéndose el brazo magullado.) Hoy tienes que
tocar para mí. ¡Pero mañana te vas si quieres! (DAVID
levanta la cabeza, sorprendido.) Tú has sido el compo-
nedor de todo esto y me estás estorbando desde el primer día. Yo no soy malo; podría aplastarte, pero no
quiero hacerlo. [Mejor será que te vayas. Si quieres,
rescindo el contrato contigo; me bastará con cinco.] Esta
misma noche te daré una carta de garantía. ¿Aceptas?
(Una pausa.) Está bien. Piénsalo. Pero a mi lado ya no
te conviene estar, te lo advierto.

(Se encamina a la derecha. DAVID está llorando en silencio.)

ADRIANA.—Yo me iré también, Luis.

VALINDIN.—(La mira fijamente.) A Valindin no se le
abandona cuando él no quiere. Te ataré [una cadena al
cuello] si es menester y te daré cada día la tanda de palos
que te mereces, hasta que te arrastres a mis pies...
¡como una galga! ¡Entra a vestirte!

(Y sale por la derecha. ADRIANA corre a
levantar a DAVID. Cuando él se incorpora,
ella se arroja sollozando en sus brazos. Él la
abraza desesperadamente.)

DAVID.—No llores, Adriana. Tú tenías razón. No hay que llorar.

>   (DONATO *se incorpora a su vez y se acerca con los brazos extendidos.*)

DONATO.—¿Qué hacéis? (*Advierte que están abrazados; intenta separarlos.*) ¡No! ¡No! Va a ser verdad lo que él ha dicho. ¡Va a ser verdad!

>   (ADRIANA *se desprende, mira a los dos con infinita pena y se aparta unos pasos.* VALINDIN *asoma.*)

VALINDIN.—¿No me has oído? (*La toma del brazo y la arrastra.*) ¡Vístete! Y vosotros, aquí quietos. Vendréis conmigo a la feria.

>   (*Entra en la alcoba con* ADRIANA. *Una pausa.* DAVID *se acerca sigiloso a la puerta y escucha. Luego va a la mesita, tantea levemente y abre el joyero.* DONATO *oye algo y se vuelve.*)

DONATO.—¿Qué haces?
DAVID.—Nada.

>   (*Saca sin ruido algo y lo guarda entre sus ropas.*)

DONATO.—¿Estás cogiendo algo?
DAVID.—(*Cierra la tapa del joyero.*) No.
DONATO.—Sí. Tú has cogido algo...

DAVID.—*(Se aparta de la mesa.)* Hace tiempo que me odias, ¿verdad?

DONATO.—*(Débil.)* No.

DAVID.—Ya no tendrás que soportarme. Mañana me iré.

DONATO.—Pero, ¿solo? *(DAVID calla. DONATO se acerca.)* Te irás solo, ¿eh? *(Suplica.)* ¡Solo, David, solo!...

> *(Oscuro lento. Se oye, muy débil, el principio del allegro de Corelli y, de pronto, las campanadas de las dos. Por la izquierda del primer término entra DUBOIS, que trae un farol encendido. Las cortinas negras ocultan ahora el segundo término. En el centro de la escena DUBOIS se detiene y levanta el farol, mientras se lleva la mano al cinto.)*

DUBOIS.—¡Alto! ¿Quién va?... ¡Ah! ¿Sois vos, [señor Valindin?] No os esperaba esta noche.

> *(Por la derecha entra VALINDIN. Trae otro farol. Viene visiblemente borracho.)*

VALINDIN.—Esta noche, como todas.

DUBOIS.—[Como todas, no.] Hoy hay luna nueva y no se ve gota.

VALINDIN.—¿Y qué?

DUBOIS.—Esta plaza aún no está alumbrada y a estas horas podríais tener un mal encuentro.

VALINDIN.—Sé valerme.

DUBOIS.—Veníos hoy al retén.

VALINDIN.—Prefiero mi barraca.

DUBOIS.—Esta tarde tuvisteis mucho público, ¿eh?

VALINDIN.—*(Sombrío.)* Como en los mejores días.

DUBOIS.—¿Dónde iréis ahora?

VALINDIN.—Al Mediodía. ¡A llevarme todo el dinero que haya por allá!

DUBOIS.—¿Con los ciegos?

VALINDIN.—Claro.

(Se tambalea.)

DUBOIS.—*(Le sostiene.)* Parece que hoy se ha cargado bien.

VALINDIN.—Poco más o menos.

DUBOIS.—Volveos a casa. Yo estoy aquí para vigilar toda esta hilera.

VALINDIN.—*(Deniega.)* Quiero sentirme entre lo mío.

DUBOIS.—¡Nada hay más propio que la cama propia! ¡En la mía quisiera yo verme ahora!

VALINDIN.—[Esto es más mío que mi cama.] ¡Ya puede arder mi cama y el piso entero! ¡Aquí es donde yo celebro mis alegrías... y donde paso mis penas! No hay nada como estar solo, amigo.

DUBOIS.—*(Ríe.)* Entonces os dejo, señor Valindin.

VALINDIN.—*(Le pone una moneda en la mano.)* Tomaos en el retén una copa a mi salud.

DUBOIS.—Muchas gracias, caballero. Si en algo puedo serviros..., ya sabéis dónde estoy.

(Se inclina. VALINDIN le dedica un desvaído ademán amistoso y sale con paso inseguro por la izquierda, mientras se saca una llave del bolsillo. DUBOIS levanta el farol para verle marchar. Luego menea la cabeza y sale por la derecha, al tiempo que se descorren las cortinas negras. En el segundo término se oye el ruido de una cerradura. A poco, la amarilla claridad del farol comienza a iluminar el

*interior de la barraca. El telón de la Galga
está recogido y la tribuna con su gran pavo
real se perfila en la penumbra. Óyese un portazo y de nuevo el ruido de la cerradura.*
VALINDIN *aparece por la izquierda y, en el
centro, levanta el farol y mira a su alrededor.
Luego va a la derecha y sale de escena. Se le
oye abrir y cerrar otra puerta. El resplandor
de la linterna pasea su enorme sombra por las
paredes. Reaparece con una botella y va a la
tribuna, que acaricia mientras la rodea, saliendo por su izquierda para volver al centro.
Allí suspira, deja el farol y la botella sobre la
mesa de la izquierda y empieza a quitarse la
casaca. A medio sacar ésta, se detiene, ab-
sorto.)*

VALINDIN.—¡Al diablo todas las perras del mundo!
*(Termina de quitarse la casaca, que deja en una silla;
aparta otra y se sienta pesadamente. Atrapa la botella,
destapona y bebe un largo trago. Se pasa la mano por los
ojos.)* No te vas a enternecer, Valindin. Tienes vino y ya
no eres joven. ¡Al diablo!

*(Bebe otro trago, deja la botella en la mesa y
esconde la cabeza entre las manos. Una pausa. Algo se mueve confusamente en la penumbra: tras los atriles emerge una figura
cuyas manos palpan levemente el borde de la
madera. Desde allí, suave y nítida en el silencio reinante, llega la voz de* DAVID.*)*

DAVID.—Señor Valindin. *(Una pausa.* VALINDIN *levanta la cabeza de pronto, sin creer a sus oídos.)* Señor
Valindin, soy yo, David.

(VALINDIN se levanta súbitamente, con una exclamación, y mira a la tribuna. De pronto toma el farol y se acerca. La figura de DAVID se distingue ahora mejor: en su rostro hay una leve sonrisa, acaso humilde.)

VALINDIN.—¿Qué haces aquí? ¿Cómo has entrado?

DAVID.—Con la llave.

VALINDIN.—¿Qué llave?

DAVID.—La otra llave. Ahora os la devolveré.

VALINDIN.—¡Ah! ¿Conque te la ha dado Adriana?

DAVID.—*(Ríe suavemente.)* Ella no sabe nada... todavía. Yo estaba en el corredor el día en que se la disteis y oí dónde la guardó.

VALINDIN.—*(Que lucha contra las nieblas del vino.)* ¿Y has venido a robar?

DAVID.—Si hubiese venido a robar no os habría llamado.

VALINDIN.—¿Qué quieres? ¿Tu violín?

DAVID.—Para eso tampoco os habría llamado.

VALINDIN.—De todos modos has hecho mal en venir. ¡A mi barraca no se entra así, y lo vas a pagar!

(Va hacia la izquierda.)

DAVID.—¿Dónde vais?

VALINDIN.—A llamar al vigilante.

DAVID.—Está muy lejos. Lo habéis mandado al retén. ¿No queréis saber a qué he venido?

VALINDIN.—No tengo nada que hablar contigo. ¡Baja y vete! Por esta vez lo dejaremos así.

DAVID.—[Señor Valindin,] he venido a deciros que acepto vuestra propuesta.

VALINDIN.—*(Se acerca a la tribuna.)* ¿Qué propuesta?

DAVID.—La de separarme de vos.

VALINDIN.—¿Y para eso has venido a estas horas y has robado una llave?

DAVID.—Es que además he de contaros un secreto. Algo que os atañe a vos... y a Adriana.

(Un silencio.)

VALINDIN.—¡Baja de ahí!

DAVID.—*(Desplazándose hacia la escalera.)* Os agradezco que queráis oírme. *(Tantea el arranque de los peldaños con su garrote y comienza a bajar.)* Sería una lástima que nos separásemos... para siempre sin hablar. *(*VALINDIN *lo ve bajar, asombrado. Él llega al suelo y se encamina al primer término.)* ¿No es aquí donde estabais sentado? *(Palpa la botella sobre la mesa.)* Así estaremos mejor. *(Se sienta con calma en una silla.* VALINDIN *se acerca despacio y deja el farol sobre la mesa.* DAVID, *como asustado por el golpe, tiende sus manos y lo palpa.)* ¿Qué es eso? ¡Ah!... Vuestro farol.

(Retira sus manos.)

VALINDIN.—*(Apoya sus manos en la mesa.)* ¡Di lo que tengas que decir!

DAVID.—Me habéis dado una gran lección y quiero agradecérosla. Cuando la priora nos habló de vos, me dije: «¡Al fin! Yo ayudaré a ese hombre y lo veneraré toda mi vida.» Después... comprendí que se trataba de hacer reír. Pero todos somos payasos, a fin de cuentas. *(Ríe.)* Gracias por haberme convertido en un payaso. Ha sido una experiencia inolvidable.

VALINDIN.—*(Sonríe.)* Me diviertes, loco.

(Y va a sentarse de nuevo, tomando la botella.)

DAVID.—¡Me alegro! *(Ríe.)* Divertir es lo mejor. *(Imita grotescamente los ademanes de un violinista.)* «Los corderitos balan: bee, bee, bee...»
VALINDIN.—¡Eso, loco, eso!

(Subraya sus palabras con palmadas sobre la mesa; ríe, y DAVID ríe con él. Luego bebe.)

DAVID.—Es la única manera de librarse del miedo. Bueno, hay otra, pero es para pocos. Los más tienen que saltar como animalitos de feria para aplacarlo. O ponerse a soñar...
VALINDIN.—Oye, ¿y ese secreto?
DAVID.—Pronto os lo cuento. Os decía que yo antes soñaba con olvidar mi miedo. Soñaba con la música, y que amaba a una mujer a quien ni siquiera conozco... Y también soñé que nadie me causaría ningún mal, ni yo a nadie... ¡Qué iluso! ¿Verdad? Atreverse a soñar tales cosas en un mundo donde nos pueden matar de hambre, o convertirnos en peleles de circo, o golpearnos... O encerrarnos para toda la vida con una carta secreta. *(VALINDIN lo mira, serio.)* Era como dar palos de ciego.
VALINDIN.—¿Por qué dices eso?
DAVID.—Por nada..., por nada. A mí siempre me irritó eso de que los palos de los ciegos hiciesen reír. Porque soy un iluso, señor Valindin; pero no soy un necio. ¿Recordáis aquella vez, en vuestra casa, que os di en el pie con mi garrote?
VALINDIN.—*(Sin quitarle ojo.)* Sí.

DAVID.—Me he adiestrado mucho en eso... Puedo poner mi garrote donde quiera.

VALINDIN.—¡Oye, truhán!...

DAVID.—*(Extiende su mano.)* [¡Un momento!] Pensad que si os lo confieso será por algo.

VALINDIN.—*(Golpea la mesa con sus nudillos.)* ¡Suelta ya el secreto y lárgate!

DAVID.—*(Suspira.)* Es una lástima que la plaza Luis XV sea tan grande y tan oscura. Cuando no hay luna no se ve ni gota.

VALINDIN.—Y eso, ¿qué puede importarte a ti?

DAVID.—A mí, no; pero a vos, sí.

VALINDIN.—¿A mí?

DAVID.—Esta tarde me dijisteis que nunca intentara nada contra un hombre con los ojos en su sitio. Fue un buen consejo y os lo voy a pagar con otro.

VALINDIN.—*(Ríe.)* ¿Tuyo? ¿Y cuál es, loco?

> *(Toma la botella. Cuando va a beber, DAVID comienza a hablar y él se detiene y lo escucha.)*

DAVID.—Nunca golpeéis a ciegas... ni a mujeres.

VALINDIN.—*(Calla un instante. Luego estalla en una carcajada.)* ¿Me amenazas? *(Ríe y comienza a beber. En ese momento DAVID lanza sus rápidas manos al farol, lo abre y apaga la candela con dos dedos. Oscuridad absoluta en el escenario.)* ¿Qué haces? *(Se oyen las manos de VALINDIN palpando sobre la mesa.)* ¿Y el farol?

DAVID.—*(Su voz llega ahora de otro lugar.)* Ya no está en la mesa.

> *(VALINDIN se levanta con ruido de tropezones.)*

VALINDIN.—¡Tráelo, imbécil!

DAVID.—Os diré ahora el secreto. Ya no volveréis a ver a Adriana.

VALINDIN.—¿Qué dices, necio? ¡Será mía mientras yo viva!

DAVID.—Es que tú, Valindin…, no vas a vivir.

(Un silencio.)

VALINDIN.—*(Con la voz velada.)* ¿Qué?

DAVID.—Ya no ultrajarás más a los ciegos.

VALINDIN.—¡Bribón! ¡Deja que te atrape y verás!

(Se le oye caminar, tropezando con otras sillas.)

DAVID.—*(Desde otro lugar.)* ¡Cuánto más te muevas, más tropezarás!

VALINDIN.—*(Se detiene.)* ¿Me… quieres matar?

DAVID.—[No te muevas.] No hables. Cada vez que lo haces, mi garrote sabe dónde está tu nuca. *(Un silencio.)* Te oigo. No vayas a la puerta. *(Un silencio.)* ¿A qué sabe el miedo, Valindin? *(Un silencio.)* Los ciegos han rezado ya bastante por tu alma sucia. Reza tú ahora, si sabes rezar.

VALINDIN.—¡Hijo de perra!

(Se abalanza furioso hacia donde sonó la voz. Tropieza.)

DAVID.—*(Ríe.)* Es inútil… Yo nunca estaré donde tú vayas. Pero siempre sabré dónde estás tú. Eres pesado, tu aliento es ruidoso… ¡Y hueles! ¡Ya no diré una sola palabra más, Valindin!

(Un silencio.)

VALINDIN.—*(Con la voz temblona.)* ¡David!... *(Vuelve el silencio. Con la voz comida de lágrimas.)* No has comprendido... Yo quería ayudaros... Yo no soy malo... Todos sois unos ingratos... *(Vuelve el silencio. De pronto,* VALINDIN *corre sollozando hacia la puerta.)* ¡No!... ¡No!... ¡Socorro!... ¡Adriana!...

(Un golpe seco lo derriba. Uno, dos golpes más, se oyen tal vez. En medio de un silencio total, las cortinas negras se corren, al tiempo que el primer término se va iluminando, hasta llegar a la plena claridad de un día soleado. ADRIANA *y* CATALINA, *a la izquierda, atienden a* LATOUCHE *y a* DUBOIS, *que están a la derecha.)*

LATOUCHE.—Lamento tener que informaros de tan triste nueva, señora Adriana.

ADRIANA.—¿Cómo pudo sucederle?

DUBOIS.—Parece que anoche... bebió más de la cuenta. Ni siquiera echó la llave al entrar; se limitó a encajar la puerta. En su manía de mirarlo todo, debió de subir a la tribuna, y ya arriba, perdería el equilibrio y se daría en la cabeza con los peldaños al caer.

LATOUCHE.—Le hemos hallado sobre la escalera, con el farol roto al lado.

DUBOIS.—Se había quitado la casaca para estar más cómodo. En los bolsillos le hemos encontrado las dos llaves de la barraca y bastante dinero.

ADRIANA.—¿Las dos llaves?

(Mira instintivamente al fondo.)

LATOUCHE.—¿No eran dos? ¿O había más?

ADRIANA.—No, no. Eran dos. Sólo que... él siempre me dejaba aquí una... En el joyero... La cogería sin decírmelo. Habíamos disputado... por cosas nuestras... Se la llevaría por eso.

LATOUCHE.—Por eso sería. ¿Podéis decirme dónde guardaba el señor Valindin sus ganancias?

ADRIANA.—En la casa Legrand.

LATOUCHE.—¿Guardáis vos en la barraca algo de vuestra propiedad?

ADRIANA.—Nada.

LATOUCHE.—*(A* CATALINA.*)* ¿Y vos?

CATALINA.—No, señor.

LATOUCHE.—Por consiguiente, ¿todo lo que hay allí pertenecía al señor Valindin?

ADRIANA.—Sí. Es decir, no... Los instrumentos son de los ciegos.

LATOUCHE.—¿Se siguen recogiendo en su Hospicio?

ADRIANA.—Sí, señor. En los Quince Veintes.

LATOUCHE.—Todo esto os lo pregunto, señora, porque... hemos llamado al hermano del fallecido. ¿Sabéis que tenía un hermano?

ADRIANA.—Sí, señor.

LATOUCHE.—A él le pertenece todo cuanto el señor Valindin haya dejado, incluido este piso..., en el que ya no podréis seguir. Presumo que lo comprendéis.

ADRIANA.—Sí, señor.

LATOUCHE.—Deberéis permanecer en él hasta la llegada del hermano, con quien os pondréis de acuerdo para llevaros lo que resulte ser vuestro, y a quien podréis reclamar vuestros salarios atrasados, si los hubiere... En el portal dejo un hombre... [por si necesitáis algo]. Os reitero mi sentimiento, señora Adriana.

ADRIANA.—Gracias, señor.

LATOUCHE.—Quedad con Dios, señoras.

> (Se inclinan él y DUBOIS. Ellas devuelven la
> reverencia. Los policías se calan los sombre-
> ros y cruzan, saliendo por la izquierda. Una
> pausa.)

CATALINA.—Otra vez a los caminos...
ADRIANA.—Poco importa.

> (Un silencio. Suena la campanilla.)

CATALINA.—¡Vuelven a llamar!
ADRIANA.—Id a abrir.

> (Las cortinas negras se descorren y muestran
> la salita. CATALINA sube los peldaños, va al
> fondo, abre la puerta y sale. ADRIANA sube
> a su vez, va al joyero, lo abre y mira su
> interior con aprensión, volviendo a cerrarlo.
> CATALINA reaparece en la puerta.)

CATALINA.—Es David, el ciego.
ADRIANA.—(Sin mirarla.) Catalina, hemos de tomar
algo al mediodía. Comprad abajo lo que os plazca y
arregladlo en la cocina.
CATALINA.—Bueno. ¿Qué le digo al ciego?
ADRIANA.—Pasadlo aquí. (CATALINA se va. Momentos después aparece DAVID en la puerta. Portazo
lejano.) Entra, David. Estoy sola. (DAVID entra. Ella va
a la puerta, atisba y cierra.) ¿Vienes del Hospicio?
DAVID.—Sí.
ADRIANA.—(Que espía su rostro.) Ha sucedido algo
espantoso, David... El comisario de Policía acaba de
estar aquí... ¿Tú... no sabes nada?

DAVID.—*(Después de un momento.)* Adriana, me voy de París.

ADRIANA.—¡Contéstame a una sola pregunta! [¡A una sola!] ¿Fuiste tú quien cogió de aquí la otra llave de la barraca?

DAVID.—Sí.

ADRIANA.—¡David!

(Se arroja sollozando en sus brazos.)

DAVID.—Venía a decírtelo, Adriana. Lo que tú decidas yo lo aceptaré. Si quieres denunciarme, hazlo. Pero tú, tú sola. Yo no me entrego a la justicia de los videntes.

ADRIANA.—[Nos iremos...] Nadie sabrá nunca nada... Me tendrás a tu lado mientras viva, si tú lo quieres.

DAVID.—*(Se desprende suavemente.)* No lo decidas aún.

ADRIANA.—*(Bañada en lágrimas.)* ¡Te quiero desde el primer día!

DAVID.—La última palabra que él dijo fue tu nombre. *(Ella solloza de nuevo y va a sentarse junto a la mesa.)* Te quería, Adriana. Y [te golpeó, y] nos golpeó a todos, porque te quería. Ahora debes denunciarme.

ADRIANA.—¡No!...

DAVID.—*(Estalla.)* ¡He matado, Adriana! ¡Yo quería ser músico! Y no era más que un asesino.

ADRIANA.—[Él era el asesino.] Él nos mataba poco a poco.

DAVID.—¡Te quería!

ADRIANA.—*(Levanta la cabeza.)* Quizá. Que Dios le perdone. ¡Pero a mí no me hará fuerza, aunque me llame al morir! *(Con desprecio.)* Hace tiempo que aprendí a desconfiar de sus palabras y de sus lágrimas. Ya no quiero saber si eran sinceras. *(Se levanta y se acerca.)* Ni él mismo lo habrá sabido al morir, David. *(Se reclina en su pecho.)* David, lo olvidaremos juntos...

DAVID.—Nunca podré olvidar.

ADRIANA.—Entonces, déjame ayudarte a llevar esa carga.

DAVID.—¿Vendrías conmigo?

ADRIANA.—Sí.

DAVID.—¡Pero yo no puedo darte nada! ¡Nada! ¡Sólo hambre, frío, tristeza!

ADRIANA.—Te necesito.

DAVID.—¡Estoy ciego y soy un mendigo!

ADRIANA.—Yo soy una perdida.

DAVID.—*(La abraza apasionadamente.)* ¡Adriana, Donato va a sufrir!

ADRIANA.—[Los dos] le hemos dado cuanto hemos podido. ¡Ahora hemos de pensar en nosotros, David! No tenemos más que esta pobre vida...

DAVID.—Que no es nada...

> *(Quedan un momento abrazados. De pronto, levanta ella sus ojos espantados.)*

ADRIANA.—¡Dios mío!

DAVID.—¿Qué?

ADRIANA.—*(Se separa, retorciéndose las manos.)* ¡Creo que he cometido un error espantoso!

DAVID.—¿Cuál?

ADRIANA.—Me hablaron de las dos llaves que le encontraron en la casaca... y yo... ¡Ay, David!

DAVID.—¡Habla!

ADRIANA.—¡Yo les dije que era muy extraño, que una de ellas me la dejaba él siempre en este joyero! *(Pasea, descompuesta.)* ¡Cómo he podido ser tan torpe!

DAVID.—La puse yo en su bolsillo. Sabiéndose que había dos, no podía [arriesgarme a] hacer desaparecer una, y menos aún [a] volverla a traer aquí, donde se podía haber echado ya en falta.

ADRIANA.—*(Nerviosa.)* Sí, yo les he dicho algo que va bien con eso. Pero...

DAVID.—¿Qué les has dicho?

ADRIANA.—Lo que yo misma creía: que se la llevaría él, enfadado por una disputa que tuvimos... Me ha parecido que lo creían...

DAVID.—No sospecharán. [Y de mí, menos.] ¿Cómo va un ciego a poder matar a un vidente?

ADRIANA.—¡Es cierto! ¿Cómo pudiste...?

DAVID.—Le apagué el farol y él no podía verme. Pero yo le oía. Estaba todo muy pensado, Adriana... Los ciegos también somos capaces de pensar.

> *(Va a sentarse, lento, junto a la mesa.* ADRIANA *lo mira, conmovida. Por la derecha de la calle aparece* CATALINA, *que trae una bolsa de compras, seguida de* LATOUCHE *y* DUBOIS, *quien conduce del brazo a* DONATO. *Cuando van a salir por la izquierda,* DONATO *se detiene.)*

DONATO.—¡No, por caridad!

LATOUCHE.—*(Sonríe.)* ¿No quieres subir?

DONATO.—¡No, no!

DAVID.—Todo muy pensado...

(ADRIANA se le va acercando.)

LATOUCHE.—Soltadlo, Dubois. *(A* CATALINA.*)* Y vos ya sabéis: en cuanto entremos, a la cocina y sin chistar.

CATALINA.—Sí, señor.

LATOUCHE.—Vamos.

> *(Salen.* DONATO *se deja caer sobre los peldaños y reclina su cabeza en la mano.)*

DAVID.—*(Suspira.)* Pensar ha sido mi placer desde niño... Desde que espiaba a los hijos de mi señor para oírles hablar de los libros que estudiaban. Y luego, por la noche, cavilaba y cavilaba... *(*ADRIANA *le acaricia el hombro.)* Mi madre me preguntaba: «¿Duermes, David?» Y yo me callaba... [Un día le pregunté: «¿Quién fue mi padre?» Y entonces calló ella... Ya ves:] ni siquiera puedo contar mi vida. Sólo recuerdo que el maestro de música me enseñó un poco de violín, y que yo fui tan feliz, tan feliz..., que cuando perdí la vista no me importó demasiado, porque los señores me regalaron el violín para consolarme.

ADRIANA.—¿Cómo la perdiste?

DAVID.—Me quemé los ojos prendiéndoles los fuegos de artificio durante una fiesta en el castillo. Mi madre era lavandera... Después... [nos fuimos del castillo, no sé por qué]. Ella y yo hemos cantado y tocado por las aldeas durante años..., hasta que me quedé huérfano en un pajar.

ADRIANA.—Yo sé cantar, David.

DAVID.—Estoy cansado, Adriana. Me siento vacío. Todo ha sido un sueño... Una pesadilla. Y ya no comprendo nada. Sólo sé que no veo, que nunca veré... y que moriré.

ADRIANA.—Nuestros hijos verán...

DAVID.—*(Oprime, exaltado, la mano de ella sobre su*

hombro.) ¡Pero lo que yo quería puede hacerse, Adriana! [¡Yo sé que puede hacerse!] ¡Los ciegos leerán, los ciegos aprenderán a tocar los más bellos conciertos!

ADRIANA.—*(Llorando.)* Otros lo harán.

DAVID.—*(Muy triste.)* Sí. Otros lo harán.

> *(Calla. De repente la puerta del fondo se abre.* LATOUCHE *y* DUBOIS *irrumpen en la sala;* ADRIANA *grita.* DAVID *se levanta rápido y crispa su mano sobre el mango del garrote.)*

LATOUCHE.—¡No te muevas! ¿Eres tú el llamado David?

DAVID.—Yo soy.

LATOUCHE.—¿A qué hora volviste anoche al Hospicio?

DAVID.—No recuerdo...

LATOUCHE.—Yo te lo diré. A las tres. Hasta entonces tu cama estuvo vacía. ¿Dónde estuviste?

DAVID.—Por las calles.

LATOUCHE.—*(Ríe.)* Y por la plaza Luis XV, ¿no asomaste la nariz?

DAVID.—¿Para qué?

LATOUCHE.—Para asesinar al señor Valindin.

ADRIANA.—¡Si ha sido un accidente!

LATOUCHE.—[¡Callad vos!] *(Se acerca a la mesita, abre el joyero y lo cierra con un seco golpe.)* Ayer [por la tarde] robaste de este joyero la segunda llave de la barraca y la dejaste con la otra, después de matarlo.

ADRIANA.—¡Si se la llevó Luis!

LATOUCHE.—[No, señora.] La cogió él. Lo sé muy de cierto.

DUBOIS.—*(Sacude por un brazo a* ADRIANA.*)* [¿Lo estáis encubriendo?] ¿Erais su cómplice?

LATOUCHE.—¡Soltadla! Si fuese su cómplice no nos habría hablado de la llave. *(DUBOIS la suelta rezongando. A DAVID.)* ¡Confiesa, bribón! Será lo mejor.

DAVID.—¿Cómo podría haberle matado yo, si no veo?

ADRIANA.—¡Eso es cierto, señor Latouche! ¡Él no ve! Y Luis era fuerte... Habría acabado con él de un solo golpe, a la menor amenaza... *(Ríe heroicamente.)* Ya veis que no ha podido ser él...

LATOUCHE.—Ha sido él.

DAVID.—*(Ríe.)* ¿De qué modo?

LATOUCHE.—*(Con una siniestra sonrisa.)* Descuida... Ya nos lo dirás tú mismo.

(A DAVID se le ensombrece el rostro.)

ADRIANA.—*(Mirando a LATOUCHE.)* No...

LATOUCHE.—¡Vamos!

(DUBOIS se acerca a DAVID y con un rápido movimiento le arrebata el garrote. Luego le toma de un brazo y le empuja hacia la puerta.)

ADRIANA.—¡No os lo llevéis! ¡Él no lo ha hecho!

DUBOIS.—¡Apartaos!

ADRIANA.—¡No quiero que os lo llevéis!

(Se cuelga del cuello de DAVID.)

[LATOUCHE.—¡Hola, hola! ¿Os entendíais?

ADRIANA.]—¡Dejadle!...

[DUBOIS.—Ése pudo ser el motivo del crimen...

LATOUCHE.—*(Desprende bruscamente a ADRIANA, que se resiste.)* No os mováis de París mientras no se os dé licencia, muchacha. ¿Entendido?] *(La empuja, pues ella sigue forcejeando, y casi la arroja al suelo.)* Vamos, Dubois.

(Salen los dos con DAVID.*)*

ADRIANA.—¡No!... *(Corre a la puerta y sale tras ellos. Se siguen oyendo sus voces.)* ¡No!... ¡Tened piedad de él, está ciego!... ¡No lo torturéis!... [¡Por caridad!... ¡Es el mejor hombre del mundo!... ¡Por Dios os lo pido, piedad!...] ¡Él no ha sido! *(A sus gritos,* DONATO *se levanta, trémulo, e intenta disimularse.* LATOUCHE, DUBOIS *y* DAVID *reaparecen por la izquierda de la calle, seguidos de* ADRIANA, *que cruza ante* DONATO *sin advertirlo.)* [¡Piedad!...] *(Exhala todo su dolor en una anhelante llamada.)* ¡David!...

> *(Súbitamente,* DAVID *se revuelve y logra soltarse. Antes de que consigan sujetarlo, corre hacia* ADRIANA *y los dos se abrazan y besan desesperadamente.* LATOUCHE *y* DUBOIS *tiran de ellos para separarlos.)*

DUBOIS.—¡Vamos!
LATOUCHE.—¡Soltadlo!

> *(Entre convulsas negativas de* ADRIANA, *a quien* LATOUCHE *aferra, logran separarlos. Aún quedan por un instante duramente soldadas las manos de ambos, que* LATOUCHE *separa de un postrer tirón.* DUBOIS *arrastra a* DAVID.*)*

ADRIANA.—*(Llorando.)* ¡David!...

(LATOUCHE *toma a* DAVID *del otro brazo y ayuda a* DUBOIS.)

DAVID.—¡Dile al pequeño que le perdono!

(DONATO *se estremece.* LATOUCHE, DU-
BOIS *y* DAVID *salen por la derecha.* ADRIA-
NA *cae de rodillas, sollozando desgarradora-
mente. Una pausa. A sus espaldas,* DONATO
*aventura unos pasos. Se detiene indeciso.
Avanza de nuevo y llega a su lado.)*

DONATO.—No tiene nada que perdonarme... Yo...
no he hecho lo que él cree. (ADRIANA *deja de gemir.
Levanta la cabeza y, sin volverse, escucha.)* Yo rondaba
por aquí y ellos me cogieron y me preguntaron... Tuve
que decirles que volvió muy tarde al Hospicio... No
pensé causarle ningún mal...

ADRIANA.—*(Se levanta con los ojos llameantes y se
enfrenta con él.)* ¡Tú les dijiste que él cogió ayer algo de
la mesa!

DONATO.—*(Temblando.)* ¡No sé! Quizá... Me acosa-
ban a preguntas...

ADRIANA.—¡Mientes!

(*Encendida de ira da unos pasos a la izquierda para salir. Él lo advierte y la sujeta por el
vestido.)*

DONATO.—¡Tenéis que creerme!

(ADRIANA *se desprende iracunda.)*

ADRIANA.—¡Judas!
DONATO.—¡Tenéis que creerme! ¡No podré vivir si

no me creéis! ¡No me abandonéis, os necesito!...
(ADRIANA *le escupe en la cara. Él se estremece violenta-*
mente. Ella le vuelve la espalda y sale, rápida. DONATO,
con su brazo extendido, que la busca, la sigue, sin es-
peranza, mientras se hace el oscuro.) ¡Adriana!...
¡Adriana!...

> (*Las cortinas negras caen sobre la casa. Una*
> *luz muy blanca va naciendo a la derecha*
> *mientras se hace el oscuro en el resto de la*
> *escena y empieza a iluminar la figura de* VA-
> LENTÍN HAÜY, *que sostiene unos papeles.*
> *Cuando la luz gana toda su fuerza, adverti-*
> *mos que ya no es aquel juvenil visitante del*
> *café de los ciegos. Ahora tiene cincuenta y*
> *cinco años, el pelo casi blanco y viste a la*
> *moda de 1800. Una melancólica sonrisa dis-*
> *tiende su rostro. Su palabra es sencilla y se-*
> *rena.*)

VALENTÍN HAÜY.—(*Lee.*) «Pronto hará treinta años
que un ultraje a la humanidad, públicamente cometido
en la persona de los ciegos de los Quince Veintes, y
repetido cada día durante cerca de dos meses, provoca-
ba las risotadas de aquellos que, sin duda, nunca han
sentido las dulces emociones de la sensibilidad. En septiembre de mil setecientos setenta y uno, un café de la
feria de San Ovidio presentó algunos ciegos, elegidos
entre aquellos que sólo disponían del triste y humillante
recurso de mendigar su pan por la calle con la ayuda de
algún instrumento musical...» (*Levanta la vista.*) A veces pienso que nadie reconocería hoy en mí a aquel
mozo exaltado de entonces, porque los años y las gentes
me han fatigado. Pero todo partió de allí. Ante el insulto

inferido a aquellos desdichados, comprendí que mi vida tenía un sentido. Yo era un desconocido sin relieve: Valentín Haüy, intérprete de lenguas y amante de la música. Nadie. Pero el hombre más oscuro puede mover montañas si lo quiere. Sucedió en la plaza de la Concordia; allí se han purgado muchas otras torpezas. Yo he visto caer en ella la cabeza de un monarca más débil que malvado, y después, las de sus jueces: Danton, Robespierre... Era el tiempo de la sangre; pero a mí no me espantó más que el otro, el que le había causado: el tiempo en que Francia entera no era más que hambre y ferias... *(Lee.)* «Sí, me dije, embargado de noble entusiasmo: convertiré en verdad esta ridícula farsa. Yo haré leer a los ciegos; pondré en sus manos libros que ellos mismos habrán impreso. Trazarán los signos y leerán su propia escritura. Finalmente, les haré ejecutar conciertos armoniosos.» *(Levanta la vista; da unos pasos hacia la izquierda.)* No es fácil, pero lo estamos logrando. Si se les da tiempo, ellos lo conseguirán, aunque yo haya muerto; ellos lo quieren, y lo lograrán... algún día. *(Baja la voz.)* Y, sin embargo, no estoy tranquilo. No quise volver a la feria, ni saber ya nada de aquellos pobres ciegos. Fue con otros con los que empecé mi obra. Pero oí decir que, poco después, ahorcaron a uno de ellos... ¿Será cierto? Lo he preguntado alguna vez a otro ciego, ya viejo, que toca desde hace años el violín por las esquinas. Él tendría que saberlo, por su edad. Incluso pudo ser uno de los de aquella horrenda orquestina. Pero nunca responde. Tiene la cara destrozada por la viruela; parece medio imbécil y ya es mayor para entrar en mi colegio... *(Comienza a oírse, interpretado por un violín, el adagio de Corelli.* HAÜY *vuelve la cabeza y escucha.)* Él es. Nunca toca otra cosa que ese adagio de Corelli. Y siempre va solo. *(Suspira.)* Es cierto que les estoy abriendo la vida a los niños ciegos que enseño; pero si ahorcaron a uno de aquellos ciegos, ¿quién asume ya esa muerte? ¿Quién la rescata? *(Escucha unos instantes.)* Ya soy viejo. Cuando no me ve nadie, como ahora, gusto de imaginar a veces si no será... la música... la única respuesta posible para algunas preguntas...

(Levanta la cabeza para escuchar el adagio.)

TELÓN LENTO

LA PASTORA CORINA

LETRA DE
A. BUERO VALLEJO

MÚSICA DE
R. RODRÍGUEZ ALBERT

— I —

Animato assai. (M.M. 120 = ♩)

Co - ri - na la pas - to - ra en - fer - maestá dea -

- mor. El mé - di - co le di - ce que bus - quea su pas -

- II -

- III -

GUÍA DE LECTURA

por Francisco Javier Díez de Revenga

CRONOLOGÍA
DE ANTONIO BUERO VALLEJO

1916: Nace el 29 de septiembre en Guadalajara. Hijo de don Francisco Buero, capitán de Ingenieros del Ejército, y de doña María Cruz Vallejo. Su hermano Francisco había nacido en 1911 y, unos años después, su hermana Carmen.

1926-1933: Bachillerato en su ciudad natal y en Larache (Marruecos), por destino temporal de su padre. Muy atraído por el dibujo y la pintura, lee también muchos textos dramáticos de la biblioteca paterna; con él asiste con frecuencia al teatro.

1934-1936: Estudios en la Escuela de Bellas Artes de San Fernando, en Madrid. Comenzada la guerra civil, colabora con la Junta de Salvamento Artístico.

1937-1939: Cuando es movilizada su quinta, Buero sirve a la República en varios destinos. Escribe y dibuja en un periódico del frente y participa en otras actividades culturales. En un hospital de Benicásim conoce a Miguel Hernández. Al finalizar la guerra se encuentra en Valencia y es recluido en un campo de concentración en Soneja (Castellón). Una vez en Madrid, es detenido y condenado a muerte en juicio sumarísimo por «adhesión a la rebelión».

1939-1946: La condena a la pena capital se mantiene durante ocho meses, en los que fueron ejecutados cuatro compañeros de su grupo. La pena de muerte le es conmutada por la de cadena perpetua; sufre reclusión en diversas prisiones. En la de Conde de Toreno hace el conocido retrato de Miguel Hernández y los de otros muchos compañeros.

1946: Después de sucesivas rebajas de la condena, se le concede la libertad condicional con destierro de Madrid (reside en Carabanchel Bajo). Deja la pintura y comienza a escribir teatro.

1947-1948: Puede vivir en Madrid gracias a un indulto total. Presenta dos obras, *En la ardiente oscuridad* e *Historia de una escalera,* al Premio Lope de Vega del Ayuntamiento de Madrid.

1949: *Historia de una escalera* recibe el Premio Lope de Vega y es estrenada en el Teatro Español de Madrid el 14 de octubre de 1949. Ante el gran éxito de público y crítica, la obra permanece en cartel hasta el 22 de enero de 1950; el 19 de diciembre había dejado paso por una noche a *Las palabras en la arena,* primer premio de la Asociación de Amigos de los Quintero.

1950: Estreno de *En la ardiente oscuridad* (Teatro María Guerrero, 1 de diciembre). Versión cinematográfica de *Historia de una escalera* dirigida por Ignacio F. Iquino.

1952: Estreno de *La tejedora de sueños* (Teatro Español, 11 de enero) y de *La señal que se espera* (Teatro Infanta Isabel, 21 de mayo). Primer estreno en el extranjero de *En la ardiente oscuridad,* en el Riviera Auditorium de Santa Bárbara (California), el 4 de diciembre.

1953: Estreno de *Casi un cuento de hadas* (Teatro Alcázar, 10 de enero) y de *Madrugada* (Teatro Alcázar, 9 de diciembre).

1954: Prohibición de representar *Aventura en lo gris,* cuya publicación en la revista *Teatro* se permite. Estreno de *Irene, o el tesoro* (Teatro María Guerrero, 14 de diciembre).

1956: Estreno de *Hoy es fiesta* (Teatro María Guerrero, 20 de septiembre). Premios Nacional de Teatro y María Rolland.

1957: Estreno de *Las cartas boca abajo* (Teatro Reina Victoria, 5 de diciembre). Premio Nacional de Teatro. Versión cinematográfica de *Madrugada.*

1958: Estreno de *Un soñador para un pueblo* (Teatro Español, 18 de diciembre). Premios Nacional de Teatro y María Rolland.

1959: *Hoy es fiesta* recibe el Premio de Teatro de la Fundación Juan March y *Un soñador para un pueblo,* el de la Crítica de Barcelona. Película argentina basada en su obra *En la ardiente oscuridad* (en España se distribuyó en 1962 con el título *Luz en la sombra).* Contrae matrimonio con la actriz Victoria Rodríguez.

1960: Nace su hijo Carlos. Estreno de *Las Meninas* (Teatro Español, 9 de diciembre), su mayor éxito de público hasta entonces.

1961: Nace su hijo Enrique. Estreno de su versión de *Hamlet, príncipe de Dinamarca,* de Shakespeare (Teatro Español, 15 de diciembre).

1962: Estreno de *El concierto de San Ovidio* (Teatro Goya, 16 de noviembre). Premio Larra.

1963: Estreno de *Aventura en lo gris* en su versión definitiva (Teatro Club Recoletos, 1 de octubre). Actor en *Llanto por un bandido,* de Carlos Saura. La revista *Cuadernos de Ágora* le dedica un monográfico. Firma, con otros cien intelectuales, una carta de protesta por el trato de la policía a algunos mineros asturianos, lo que produce «el desvío de editoriales y empresas». Muere su madre.

1964: *La doble historia del doctor Valmy* es presentada dos veces a censura pero no obtiene autorización.

1966: Estreno de su versión de *Madre Coraje y sus hijos,* de Bertolt Brecht, que la censura había impedido con anterioridad (Teatro Bellas Artes, 6 de octubre). Conferencias en universidades de Estados Unidos.

1967: Estreno de *El tragaluz* (Teatro Bellas Artes, 7 de octubre). Premios El Espectador y la Crítica y Leopoldo Cano. Actor en *Oscuros sueños de agosto,* de Miguel Picazo.

1968: Reposición de *Historia de una escalera* (Teatro Marquina, 31 de marzo). Estreno de *La doble historia del doctor Valmy* —prohibida en España— en Chester (Gateway Theater, 22 de noviembre, versión inglesa). Publicación en *Primer Acto* de *Mito,* libreto para una ópera sobre Don Quijote que no se ha estrenado.

1969: Miembro honorario de The American Association of Teachers of Spanish and Portuguese.

1970: Estreno de *El sueño de la razón* (Teatro Reina Victoria, 6 de febrero). Premios El Espectador y la Crítica y Leopoldo Cano. Estreno de *La doble historia del doctor Valmy,* en español, en Vermont (Estados Unidos).

1971: Elegido miembro de número de la Real Academia Española para ocupar el sillón X. Miembro de la Hispanic Society of America. Estreno de *Llegada de los dioses* (Teatro Lara, 17 de septiembre). Premio Leopoldo Cano.

1972: Discurso de ingreso en la Real Academia Española (21 de mayo): «García Lorca ante el esperpento».

1973: Publica *Tres maestros ante el público.*

1974: Estreno de *La Fundación* (Teatro Fígaro, 15 de enero). Premios Mayte, El Espectador y la Crítica, Leopoldo Cano, Long Play, Le Carrousel y Foro Teatral.

1976: Estreno en España de *La doble historia del doctor Valmy* (Teatro Benavente, 29 de enero). Medalla de Oro de *Gaceta Ilustrada.*

1977: Estreno de *La detonación* (Teatro Bellas Artes, 20 de septiembre). Premio El Espectador y la Crítica. Participa en Caracas en la IV Sesión Mundial del Teatro de las Naciones.

1978: Homenaje en Nueva York en una sesión extraordinaria de la Modern Language Association. Las intervenciones de los ponentes y del autor se reproducen en un monográfico de la revista *Estreno.*

1979: Estreno de *Jueces en la noche* (Teatro Lara, 2 de octubre). Edición en la Universidad de Murcia de *El terror inmóvil,* inédito desde su composición en 1949. Invitado de honor en el Congreso de la Asociación Alemana de Hispanistas, dedicado a su obra. Se da el nombre de Antonio Buero Vallejo a un Instituto de Bachillerato de Guadalajara.

1980: Conferenciante en las universidades de Friburgo, Neuchâtel y Ginebra. Medalla de Plata del Círculo de Bellas Artes de Madrid. Premio Nacional de Teatro por el conjunto de su producción.

1981: Estreno de *Caimán* (Teatro Reina Victoria, 10 de septiembre). Premios El Espectador y la Crítica y Long Play. Viaje a la URSS para asistir al Congreso de la Unión de Escritores. Reposición de

Las cartas boca abajo (Teatro Lavapiés, 14 de octubre).

1982: Estreno de su versión de *El pato silvestre,* de Ibsen (Teatro María Guerrero, 26 de enero).

1983: Oficial de las Palmas Académicas de Francia.

1984: Estreno de *Diálogo secreto* (Teatro Victoria Eugenia de San Sebastián, 6 de agosto). Premios El Espectador y la Crítica, Long Play y Ercilla. Medalla Valle-Inclán de la Asociación de Escritores y Artistas. ABC de Oro.

1985: El Ayuntamiento de Guadalajara crea el Premio de Teatro Antonio Buero Vallejo.

1986: Reposición de *El concierto de San Ovidio* (Teatro Español, 25 de abril); con ese motivo se celebra en el Teatro Español de Madrid un Seminario Internacional acerca de esa obra y una Exposición. Monográfico de *Cuadernos El Público*. En un accidente fallece su hijo menor, el actor Enrique Buero Rodríguez. Premio Pablo Iglesias. Estreno de *Lázaro en el laberinto* (Teatro Maravillas, 18 de diciembre). Premio El Espectador y la Crítica. Premio Miguel de Cervantes, que se otorga por vez primera a un dramaturgo.

1987: Exposición sobre Buero en la Biblioteca Nacional. Hijo predilecto de Guadalajara y Medalla de Oro de esa ciudad. Consejero de honor de la Sociedad General de Autores. Asiste en Murcia al Simposio Internacional «Buero Vallejo (Cuarenta años de Teatro)». Número monográfico de la revista *Anthropos*.

1988: Medalla de Oro de la Comunidad de Castilla-La Mancha. Socio de honor de la Asociación de Escritores y Artistas. Adaptación cinematográfica de *Un soñador para un pueblo,* dirigida por Josefina Molina, con el título de *Esquilache*.

1989: Estreno de *Música cercana* (Teatro Arriaga de Bilbao, 18 de agosto). En Málaga asiste al Congreso de Literatura Española dedicado a su obra.

1991: «Buero Vallejo: el hombre y su obra», I Concurso de la Colección Austral (Espasa Calpe). Reposición de *El sueño de la razón* (Teatro Rialto de Valencia, 16 de mayo). Homenaje del Patronato Municipal de Cultura del Ayuntamiento de Guadalajara. Presidente de Honor de la Asociación de Autores de Teatro. Edición de *Tentativas poéticas,* que recoge sus poemas.

1993: Homenaje en la I Muestra de Teatro Español de Autores Contemporáneos de Alicante. Publicación del *Libro de estampas,* presentado por el autor en Murcia. Medalla de Oro al Mérito en las Bellas Artes.

1994: Representación de *El sueño de la razón* en el Centro Dramático Nacional (Teatro María Guerrero, 15 de septiembre) y en el Dramatem de Estocolmo. Estreno de *Las trampas del azar* (Teatro Juan Bravo de Segovia, 23 de septiembre). Publicación de la *Obra Completa* en la Editorial Espasa Calpe.

1995: Se da el nombre de Antonio Buero Vallejo al Teatro de Alcorcón (Madrid).

1996: Jornadas de «Teatro y Filosofía» en la Universidad Complutense sobre el teatro de Buero. Homenajes del Ateneo de Madrid, de la Asociación de Autores de Teatro, del Festival de Otoño y de la Universidad de Murcia. Número monográfico de la revista *Montearabí.* Premio Nacional de las Letras Españolas, por primera vez concedido a un autor teatral.

1997: Reposición de *El tragaluz* (Teatro Lope de Vega de Sevilla, 15 de enero). Medalla de honor de la

Universidad Carlos III de Madrid. Medalla de la Universidad de Castilla-La Mancha. Medalla de Oro de la Provincia de Guadalajara. Banda de Honor de la Orden de Andrés Bello de la República de Venezuela.

1998: Concluye *Misión al pueblo desierto,* su última obra. El Centro Dramático Nacional prepara un nuevo montaje de *La Fundación.*

1999: *La Fundación* se representa en el Teatro María Guerrero (27 de enero). El 9 de octubre se estrena *Misión al pueblo desierto,* en el Teatro Español de Madrid.

2000: El día 28 de abril, a medianoche, muere en Madrid. Es enterrado en el cementerio de La Paz, en las cercanías de Tres Cantos.

DOCUMENTACIÓN COMPLEMENTARIA

1. EL AUTOR Y SU TEATRO

Lo que mi teatro es, no lo sé; de lo que intenta ser, sí estoy algo mejor enterado. Intenta ser, por lo pronto, un revulsivo. El mundo está lleno de injusticias y de dolor: la vida humana es, casi siempre, frustración. Y aunque ello sea amargo, hay que decirlo. Los hombres, las sociedades, no podrán superar sus miserias si no las tienen muy presentes. Por lo demás, mi teatro no se singulariza al pretenderlo: esa es la pretensión común a todo verdadero dramaturgo. La miseria de los hombres y de la sociedad debe ser enjuiciada críticamente; la grandeza humana que a veces brilla en medio de esa miseria también debe ser mostrada. Considerar nuestros males es preparar bienes en el futuro; escribir obras de intención trágica es votar por que un día no haya más tragedias.

El dramaturgo no sabe si eso llegará a suceder, aunque lo espera. Y, como cualquier otro hombre que sea sincero, no tiene en su mano ninguna solución garantizada de los grandes problemas; sólo soluciones probables, hipótesis, anhelos. Su teatro afirmará muchas cosas, pero problematizará muchas otras. Y siempre dejará —como la vida misma— preguntas pendientes.

(Antonio Buero Vallejo, «Acerca de mi teatro», texto de hacia 1972 publicado por vez primera en *Obra Completa,* II, edición crítica de Luis Iglesias Feijoo y de Mariano de Paco, Madrid, Espasa Calpe, 1994, pág. 458).

Yo diría que de los dos polos de toda dramaturgia completa, el que podríamos llamar polo filosófico, o acaso metafísico, y el que podríamos llamar polo social, mi primera obra de ciegos *[En la ardiente oscuridad]* se inclina con preferencia hacia el primero y esta última *[El concierto de San Ovidio]* hacia el segundo. Ahora bien, esto no quiere decir que en la primera no se incluyan también resonancias de carácter social, y que en la segunda falten las de orden filosófico. Personalmente, creo más lograda la última porque, si sus valores dramáticos no me parecen inferiores, ni en el fondo distintos, de los de la primera, creo que, además, gana a ésta en una mayor realidad de atmósfera o ambiente. Pero en ambas, como acabo de insinuar, se plantea la misma cuestión, la de una sana rebeldía contra nuestras limitaciones que se plantee la posibilidad de superarlas. Ambas quieren ser tragedias. Ambas quieren, por ello, servir a lo que en mi criterio determinan el último significado de lo trágico: a la esperanza humana. En la primera, esto actúa sólo implícitamente bajo la forma de una tragedia cerrada y sin salida. En la segunda obra, más explícitamente, recordando ya en el texto algunas de las consecuencias positivas que pudieron sobrevenir a aquel hecho trágico. Son estas dos formas de lo trágico, de apariencia opuesta, pero igualmente abiertas en el fondo y cuyos primeros ejemplos hallamos en los griegos mismos. No pretendo, ni mucho menos, haber logrado la grandeza de aquellos, pero sí contribuir en la medida de mis fuerzas a la reaclimatación, que juzgo tan necesaria para nosotros, de su sentido actual de lo trágico. O sea, un sentido que actúe de cara a dolores y problemas, no sólo permanentes, sino rigurosamente contemporáneos. La distancia de la historia, como en la última, o del espacio como, en cierto modo, implica la falta de localización de la primera, son, como es sabido, instrumentos eficaces para intentarlo. Otros dirán hasta qué grado, tal vez pequeño, alcanzan mis fuerzas para lograrlo.

(Antonio Buero Vallejo, «La ceguera en mi teatro», texto de marzo de 1962, *Obra Completa,* II, edición crítica de Luis Iglesias Feijoo y de Mariano de Paco, Madrid, Espasa Calpe, 1994, pág. 431).

En *El concierto de San Ovidio* [...], hay alteraciones funcionales de lo que sucedió realmente. La orquestina de ciegos estuvo formada por diez músicos, y yo los reduje a seis. Que el Hospicio de los Quince Veintes, institución histórica donde vivieron los ciegos que participaron en aquella orquestina, estuviera regido por monjas es un riguroso embuste mío, porque el Hospicio estaba regido por personal civil bajo el patrocinio del Limosnero Mayor del rey de Francia. Propiamente hablando, estos errores no son defectos, puesto que son premeditados. Pero yo no quiero ser solamente mi obra ni dejar de tomar distancias frente a ella, pues deseo no paralizarme y seguir haciendo dramas que se diferencien de los anteriores. [...] Cuando Buero deje de existir ya no quedará más que su obra y Buero será su obra.

(Antonio Buero Vallejo, «De mi teatro», texto de marzo de 1979 en *Obra Completa*, II, edición crítica de Luis Iglesias Feijoo y de Mariano de Paco, Madrid, Espasa Calpe, 1994, pág. 517-519).

2. Recepción de la obra

2.1. *Opiniones de la crítica periodística posterior al estreno y a la reposición*

De todas las piezas de tipo histórico salidas de la pluma de Buero Vallejo, ésta es, para mí, la más lograda. La más honrada en su ejecución. La más sincera en temas y forma. Hay en *El concierto de San Ovidio* conocimiento exacto de tipos, justa apreciación del problema, magnífica exposición del mismo. Hay, además, un clima de tragedia, una atmósfera cruel, pero real, que, realmente, inquieta y sobrecoge al espectador. Construcción perfecta, ritmo acompasado, escenas excepcionales, situaciones maravillosamente teatrales. Pieza que llega casi a tragedia —con ese impresionante coro de ciegos capitaneado por el simbólico David— y que, por su gran carga de realismo, puede llegar con auténtico impacto —como está de moda decir ahora— a todos los espectadores.

(Arcadio Baquero, «*El concierto de San Ovidio,* de Buero Vallejo, en el Teatro Goya», *El Alcázar,* 1 de noviembre de 1962).

Éxito absoluto, sin la menor reserva. Teatro, teatro. Teatro de verdad. Con «entradas y salidas», carpintería y todos los ingredientes preceptivos que se quiera, incluso aderezados de la manera más clásica, pero con seres de carne y hueso, originalidad del tema, emoción, muchísima emoción; poesía, vida palpitante, teatralidad del mejor estilo y noble efecto. Eficacia.

De las piezas históricas del repertorio de Buero, ésta es a mi gusto la más alada, la más liberada, la más fluida. Tal vez su implicación intelectual es menor, pero la estremece una torrentera de humanidad que desde las primeras escenas llega al público.

Y es curioso que Buero, que supo dar al drama social el sesgo elusivo y de empaque intelectual que requería nuestro tiempo, de cierta manera, en la pieza estrenada anoche, sin menguar la calidad artística e intelectual que acreditan a Buero, vuelve al drama social directo de «explotadores y explotados», pero resolviéndolo con una finura de matices y el velo de la distancia histórica. Buero Vallejo llama «parábola» a su obra, no obstante ser la menos parabólica de sus piezas de intención acusadamente social. Quiero decir que en ella la intención y lección resultan más directas y evidentes que en el resto de su producción.

Tal vez una de las cosas que da fuerza sobrecogedora a *El concierto de San Ovidio* es que «los débiles», los explotados, sean ciegos. Éstos fueron los protagonistas del mejor drama de Buero, y hoy vuelven a su tablado investidos de las dos mayores debilidades cantadas por Buero: la social y la física. Así, en esta obra conjuga las dos melodías más entrañables de su mundo dramático… El eco apenas sugerido de la Revolución francesa subraya sin perder un punto su equilibrio y sobriedad, la intención combativa y de limpia ejecutoria social.

(F. García Pavón, «*El concierto de San Ovidio,* de Buero Vallejo», *Arriba,* 17 de noviembre de 1962).

¿Cómo será el camino hacia la luz que el ciego David se dispone a recorrer? El riesgo tan seguro como imprevisible de ese camino redentor, ¿podrá quedar reducido a la dificultad de bregar con un maestro de música puntilloso y de conseguir que den sonidos concordes los derrotados violines y las voces pedregosas de los cinco restantes compañeros de equipo? No. El tránsito de la tiniebla hasta la luz tiene que ser harto más dramático. Acaece, en efecto, que el mundo es física y moralmente opaco; y si la opacidad física puede ser vencida con el ingenio, capaz tantas veces de iluminar cavernas o abismos o de adivinar estructuras invisibles, la opacidad moral del mundo —egoísmo y crueldad son sus nombres más vulgares— resiste con frecuencia y tenacidad desconsoladoras a la virtud clarificante de la inteligencia y el amor, únicos recursos por los cuales puede llegar el hombre a ser diáfano para el hombre.

No tarda mucho en descubrirlo, a su costa, el ciego David. Es inteligente, además de ser ambicioso. Quiere amar y al fin ama y es amado. Y aunque su alma, crispada por la desgracia y la injusticia, diste mil leguas de ser un jardín suave y ameno —no, no es, no quiere ser, *le bon aveugle* o «el pobrecito ciego»—, tampoco desea colgar de un árbol a todos los videntes, como una y otra vez dice el más instintivo y brutal de sus compañeros: él no pretende sino que los demás le dejen libre su camino hacia la validez y la felicidad. Y, sin embargo, se siente obligado a matar al hombre que le explota y le veja —¡qué bien lograda, esa tremenda escena del homicidio en la oscuridad!—, y es denunciado por su mejor amigo, otro ciego a quien tiernamente cuida y protege, y es juzgado como asesino, y al fin viene a dar con su cuerpo en la horca. Como en una tragedia griega, como en cualquier tragedia de cualquier tiempo, la senda que asciende desde las tinieblas hacia la luz es cortada por la muerte.

Cortada por la muerte, mas no aniquilada por ella. Para el autor de *El concierto de San Ovidio* —más ampliamente: para el dramaturgo y moralista Buero Vallejo—, el hombre no es una «pasión inútil», además de ser una pasión dolorosa. El fracaso y la muerte son, en definitiva, y por lo menos, penosas instancias hacia un orden moral e históricamente superior a aquel en que se produjeron.

(Pedro Laín Entralgo, «El camino hacia la luz», *La Gaceta Ilustrada,* 8 de diciembre de 1962).

El concierto de San Ovidio es una de sus mejores obras y pertenece a aquellas escritas partiendo de hechos y personajes históricos de la producción de Buero. Cuando estas obras se estrenaron, dentro de un contexto de censura y represión, tenían una doble lectura, que hoy no es necesaria, y que demuestra que este teatro de Buero no era mera coyuntura, sino un teatro profundo y sólido que en cualquier época es válido.

Como en toda su obra, Buero hace en *El concierto de San Ovidio* una profesión de fe en el hombre, un canto a la esperanza a pesar del horror, de la amargura, de la injusticia. Buero escribe desde una sociedad privada de libertad, una fábula, aunque basada en un hecho real, para crear en el espectador la conciencia de luchar por llegar a ser un hombre libre. En *El concierto...* hay un opresor, un explotador; un ciego que ve lúcidamente, y una sociedad que se pone una venda en los ojos para no ver; y también otros personajes movidos por sus pequeñas miserias o sus grandes pasiones.

(Julia Arroyo, «Homenaje a Antonio Buero Vallejo. *El concierto de San* Ovidio en el Español», *Ya,* 27 de abril de 1986).

Las claves para el entendimiento del subtexto ya no son actuales, sino retrospectivas. Si Valindin podía ser entendido en 1962 como el dictador y la ceguera como la aflictiva situación de unos seres cuya incapacidad para unirse y rebelarse nacía de su propia oscuridad, hoy la parábola se levanta sobre la circunstancia. Adquiere así una significación más categórica, más universal. La amplificación del valor, más genérico del mensaje, hace a la obra un documento permanente. La consagra como un clásico. *El concierto de San Ovidio,* bajo los nuevos aspectos que le da la lectura realizada por Miguel Narros, levanta el drama a una condición superior. Lo sitúa ante nosotros entre la galería de las piezas egregias. Es decir, de piezas que en su propia soledad se constituyen en esos signos permanentes que jalonan las grandes construcciones del teatro.

La distanciación establecida por el autor al situar en el París del siglo XVIII, bajo el reinado de Luis XV, la acción del drama que será representado siglo y medio después, ya no es necesaria. Esa, ahora, gratuidad temporal trascendentaliza la significación del suceso. Valindin ya es todos los opresores, David el representante de todos los débiles, todos los oprimidos, todos los que no pueden encontrar, entre la ceguera de sus próximos, más salida que la violencia y la muerte.

(Lorenzo López Sancho, «Un gran *Concierto de San Ovidio,* veinticuatro años después. En el Español», *ABC,* 26 de abril de 1986).

2.2. *Opiniones de los estudiosos sobre* El concierto de San Ovidio

La tradicional «realidad objetiva» que la sociedad atribuye al mundo que ella se ha organizado, no resiste a la zapa de aquellos seres para quienes el mundo tiene otro «aspecto», otra forma, *es* algo distinto de lo que conocemos. Frente a los lisiados de Buero Vallejo —frente a la misión que cumplen dentro de la obra—, en lugar de sentirme más «normal», caigo en la

cuenta de que cada hombre es el ciego de los demás; de que cada
hombre carece, ontológicamente, de lo que poseen los otros.
Pero además, todos los intentos de establecer entre el mundo de
los videntes y el de los ciegos un verdadero contacto, cualquier
forma de intensificación, fracasa —la buena voluntad paterna-
lista de los responsables de la institución, como la rebelión de
Ignacio [protagonista de *En la ardiente oscuridad]; la trágica
parodia de orquesta, como la lucha desesperada de David.

El concierto de San Ovidio es particularmente significativo
en cuanto a la yuxtaposición de los dos mundos, radicalmente
distintos a pesar de coincidir en el lugar y sucederse inmediatamente en el tiempo; universo de Valindin, mientras brilla la linterna; y, de pronto, universo de David, cuando la oscuridad in-
vade al primero. El artificio escénico es parecido al de *En la
ardiente oscuridad,* pero ya no es «la» ceguera que se hace concreta, sino que ahora es «mi» ceguera, digamos, personal.

Físicamente, nos parecemos más a Valentín [Haüy] que a David. Por eso, cuando este último apaga el farol, dejamos de ver
en un mundo en el cual hay hombres que «ven». Experimenta-
mos «nuestra ceguera», sin coartada posible; no podemos captar a la enfermedad, atribuyéndola luego a seres de ficción, ya
que la vivimos como nuestra, y, en efecto, es irremediablemente
nuestra.

> (Jean-Paul Borel, «Buero Vallejo. Teatro y Política», *Revista
> de Occidente,* 17, agosto, 1964. También en Mariano de Paco
> (editor), *Estudios sobre Buero Vallejo,* Murcia, Universidad de
> Murcia, 1984, pág. 43).

Por una parte, *El concierto de San Ovidio* viene a replantear
el tema de la ceguera, ahora en circunstancias distintas de las de
En la ardiente oscuridad, a pesar de que, ante ellas, encontramos una respuesta, o mejor dicho, una pregunta de naturaleza
muy similar. Por otra parte, *El concierto de San Ovidio* reab-
sorbe el tema social, tan importante en *Historia de una escalera, Hoy es fiesta* y *Las cartas boca abajo,* y lo hace situán-

dolo en un plano que hasta aquí Buero Vallejo no había abordado explícitamente: el de la lucha de clases. En tanto que nueva incursión en el ámbito de lo trágico, *El concierto de San Ovidio* avanza, además, en una dirección que incluye una dimensión fundamental de lo grotesco. Cierto que en otras obras de Buero no han faltado situaciones y personajes de claro relieve tragicómico: recuérdense personajes como Dimas *(Irene o el tesoro),* Mauro *(Las cartas boca abajo),* Doña Balbina *(Hoy es fiesta),* etc. Pero en *El concierto de San Ovidio* lo grotesco viene a primer término de una forma particular, en las figuras de los ciegos de la orquestina, ante los cuales un espectador burgués —«descompuesto de risa»— llega a exclamar: «Son como animalillos». Ocho años más tarde, *El sueño de la razón* supone, entre otras cosas, una nueva e igualmente original profundización del autor en este campo.

(Ricardo Doménech, «Introducción biográfica y crítica», en Antonio Buero Vallejo, *El concierto de San Ovidio. El tragaluz,* Madrid, Clásicos Castalia, 1971, págs. 41-42).

La ridícula canción que entona Gilberto, las partituras al revés, las gafas y las palmatorias encendidas, los balidos de los ciegos y las carcajadas de los asistentes componen un cuadro estremecedor. Hay una frase de un personaje bueriano en un drama muy posterior, de la Dama al principio de *Caimán,* que nos viene a la memoria a este propósito: «El mayor poder de la escena es afantasmar al espectador y arrojarlo a un mundo alucinado». En este caso, el público actual (y Haüy entre el público del espacio escénico) se siente «alucinado», transportado emocionalmente a una inadmisible experiencia, ante la actuación de los ciegos en la Feria de San Ovidio. Y se encuentra, a un tiempo, *oprimido* con ellos y *opresor* con el público burgués de la barraca y con el mismo Valindin. Tiene, pues, la oportunidad de asociar dos modos de conocimiento: el intuitivo que le da su propia participación y el análisis racional de los acontecimientos presenciados.

Se ha señalado acertadamente lo que de grotesco y aun de esperpéntico tiene esta escena, pero, sin olvidar eso, creo que debe también establecerse una relación con la tendencia fantasmagórica y onírica del teatro de Buero, iniciada en las visiones de Víctor *(El terror inmóvil)* e Irene *(Irene, o el tesoro)* y en el sueño colectivo de *Aventura en los gris;* y presente, con posterioridad y de modo más continuo y elaborado, en *El sueño de la razón, Llegada de los dioses, La Fundación, La detonación, Jueces en la noche, Caimán, Diálogo secreto o Lázaro en el laberinto.*

> (Mariano de Paco, «*El concierto de San Ovidio* y el teatro de Buero Vallejo», *Anales de Filología Hispánica*, 5, 1990. También en *De re bueriana,* Murcia, Universidad de Murcia, 1994, págs. 160-161).

«Son torpes estos pobrecitos ciegos, dice la priora del Hospicio. Dos siglos después algo se habrá ganado: por lo menos ya no serán pobrecitos ciegos, aunque Ignacio y su padre [de *En la ardiente oscuridad]* así lo crean. Pero estamos todavía en 1771, y los ciegos, son, pobrecillos, unos torpes. Además, según la Priora, Dios solo consiente la ceguera «para que ofrezcan oraciones por las calles». Sin embargo, algunos se casan, dice el ciego Elías. Entre ellos, naturalmente, dirá dos siglos más tarde el padre de Ignacio; con las del pabellón de mujeres, dice Nazario: «¡Otra manera de reventar! A eso nos han condenado los que ven: han hecho el mundo para ellos. ¡Por mí que los cuelguen a todos!»

Ingrato Nazario. Precisamente los va a redimir esa sociedad que él quiere colgar, representada por Valindin, que no puede evitar las lágrimas ante tal situación. Porque Valindin —también la sociedad— es filántropo y tiene buen corazón. Aunque la filantropía sea también fuente de riqueza. Un Valindin —también la sociedad que representa— que vive de las rentas de un oficio que jamás ejerció ni aun aprendió. Un Valindin de plebeyo origen al que, por unos méritos que nunca tuvo, se le autoriza a pertenecer al estrato de los caballeros, portando espada. Y ese honor lo heredará su hijo, porque, además de ser hijo del caballero, tendrá rica cuna. Sí: Valindin representa la sociedad en la que los ciegos se mueven, y a la que no cuelgan porque ni tiene ojos, ni está situada al alcance de sus bastones. Y Valindin inaugura la primera Institución para ciegos de la historia: en ella, los ciegos dejarán de mendigar, y se convertirán en seres útiles a la sociedad; trabajarán y ganarán dinero, y esto les hará sentirse personas, atrapar mozas y llenar la andorga hasta reventar.

(Antonio Iniesta Galvañ, *Esperar sin esperanza. El teatro de Antonio Buero Vallejo,* Murcia, Universidad de Murcia-Real Academia de Bellas Artes Santa María de la Arrixaca, 2002, págs. 165-166).

TALLER DE LECTURA

Para leer un texto dramático hay que tener en cuenta, en primer lugar, que el lector debe imaginar el resultado del espectáculo teatral como si estuviese sentado en el patio de butacas de un teatro ante el escenario. Por ello, antes de comenzar la lectura ha de tener en consideración que se halla ante dos realidades:

> — *Texto literario:* a través del cual se transmite la trama o argumento por medio de la palabra de los personajes, cuya forma reviste condiciones excepcionales de formulación artística, estilística, ideológica, poética, etc.
> — *Texto espectacular:* que contiene todos los datos y mensajes referidos a la espacialización del texto literario y medios para la conformación del escenario, movimientos de los personajes, situaciones de ambiente, etc. Las *acotaciones* o *didascalias* contienen cuanta información precisa el lector para imaginar dónde y cómo suceden los hechos en el drama.

La conjunción de ambos elementos es indispensable para el lector de teatro. Podríamos decir que son el fondo y la forma de una misma realidad indisoluble, y a través de ese conjunto el lector se puede convertir en espectador imaginario del espectáculo que el autor le transmite por medio de su texto múltiple. En ambas partes de ese texto pueden contenerse todo tipo de informaciones, de datos sobre el tiempo y el espacio de la representación, los antecedentes próximos y remotos que han conducido a los personajes a la situación presente, que es la que el espectador contempla y la que el lector asume a través de la escritura dramática mostrada en el texto múltiple.

Planteamientos estéticos, transmisión de ideas tanto desde el punto de vista ético como social, político o metafísico son transmitidos, a través del texto, al espectador.

En el caso de la obra que nos ocupa, *El concierto de San Ovidio,* la relación entre texto y representación es especialmente sólida e indisoluble, ya que el lector, como el espectador que ha tenido la oportunidad de verla representada, se va introduciendo paulatinamente en la verdad del engaño que en escena ha de producirse, de manera que, partiendo de una actitud presumiblemente altruista y generosa, la de Valindin, al formar una orquesta con ciegos, con el fin aparente de mejorar su situación personal, iremos asistiendo poco a poco a la imposibilidad del proyecto, revelado en la incapacidad de los músicos de crear una música correcta y acorde. Al tiempo que serán los vestidos y gafas y los objetos del escenario los que nos descubrirán a los videntes, que no a los ignorantes ciegos, que la orquesta lleva camino de ser un conjunto bufo y ridículo, para provocar la risa de los espectadores, tal como advertiremos cuando el dramaturgo, valiéndose del recurso del teatro dentro del teatro, nos presente a los espectadores entre delirantes carcajadas, con la excepción del indignado Valentín Haüy, personaje histórico a quien corresponde el papel de cerrar la obra en un monólogo que confirma lo que ya en escena se ha evidenciado.

El concierto de San Ovidio ha contado, en España, con estreno y reposición. El primero tuvo lugar en el Teatro Goya de Madrid el día 16 de noviembre de 1962, en pleno franquismo. Su puesta en escena fue interpretada como una parábola de la situación política, hábilmente convertida en fábula o ficción histórica por el dramaturgo dentro de su proyecto de teatro «posibilista» que cultivó en aquellos años. Bajo la dirección de José Osuna, obtuvo gran éxito de público y de crítica a pesar de las adversas circunstancias políticas del momento. La representación escénica del drama tuvo muy en cuenta las acotaciones de Buero Vallejo y consiguió cautivar con su trágica visión escénica próxima al esperpento.

Muchos años después, en la temporada 1985-1986, y como prueba indudable de la vigencia del teatro de Buero Vallejo, Miguel Narros llevaría a cabo, nuevamente con gran éxito de público y de crítica, la puesta en escena de *El concierto de San Ovidio,* en el Teatro Español. El estreno tuvo lugar el 25 de abril de 1986, en el marco de un homenaje nacional al dramaturgo, y casi un cuarto de siglo después de la primera representación. De nuevo, superando la inicial relación con la situación política vigente en el primer estreno, la lección del drama se hizo muy efectiva como alegato contra la injusticia y la opresión de los poderosos, sin duda gracias a una eficaz puesta en escena muy diferente de la de los años setenta, ya que nuevos efectos escénicos y sobre todo nueva representación de la injusticia consiguieron universalizar el conflicto planteado por Buero en su drama original.

LECTURA DRAMATÚRGICA DE «EL CONCIERTO
DE SAN OVIDIO»

1. CONTENIDO

El concierto de San Ovidio se ofrece como una «pará-bola en tres actos». Surge tras un acto de compasión de Antonio Buero Vallejo, quien, tras contemplar un grabado francés del siglo XVIII en el que se representaba una ridícula orquestina de ciegos, cruelmente humillados, se decide a escribir un drama a favor de los invidentes, para lo que se documenta en el momento histórico y rescata del pasado dos interesantes personajes: un negociante llamado Luis María Valindin, del que no sabemos prácticamente nada más que lo que ocurre en el drama, y un filántropo llamado Valentín Haüy, de cuyos hechos quedó memoria en la historia posterior, ya que consagró su existencia a la educación e incorporación a la vida social activa de los ciegos.

Valindin decide hacer fortuna creando una imposible orquesta de ciegos, ridícula mascarada que forma con invidentes procedentes del Hospicio de los Quince Veintes. Con muy determinadas alteraciones de la realidad histórica, que el propio Buero ha reconocido, desarrolla una historia que parte desde el reclutamiento de los músicos y la formación de la orquestina, hasta llegar a la disolución de esta. Valentín Haüy presenció el concierto, tal como en la obra se representa, y la incidencia más significativa la constituye la rebelión de uno de los ciegos, David, que encarna la revolución y el sentido trágico. En el momento de su estreno, en 1962, España y la sociedad española sufrían un proceso de transformación hacia los primeros aires de apertura, con la creciente implantación de la filosofía capitalista en el régimen y la lucha por la superación económica de la adversidad de la posguerra y de los tiempos de la pobreza y del hambre. El mundo de los negocios y del consumo se abre paso por encima de otros supuestos de convivencia y de progreso social. Por otro lado, planteamientos de ambición más universal son posibles a la hora de valorar el contenido de esta parábola. La defensa de los más débiles ante el poderoso, cuyas armas engañosas de mejor bienestar y falaz progreso, son descubiertas por la mente lúcida representada por David, incapaz de caer en la trampa de su opresor. Frente a la sociedad opresora surge la conciencia del individuo. La rebelión es la única solución frente las actitudes opresoras.

 — Señala cuál es el tema central de la parábola y cómo se desarrolla ante el espectador, en tanto que dramatización de un suceso que sirve para mostrar una determinada enseñanza valiéndose de elementos de comparación, personajes y acciones más o menos fingidas. Establecido el tema del drama, señala cuál es la significación de esa ejemplificación en relación con la España de los años sesenta y el desarrollo de la historia española del siglo XX.

— Reflexiona sobre la actitud ética, social y metafísica de Buero Vallejo cuando se plantea representar, por medio de la escena, la creación y actuación de la orquesta bufa en un barracón de feria, que él había contemplado en el grabado dieciochesco, y establece la finalidad universal de su actitud como pensador, como ciudadano y como dramaturgo.

— Desde el punto de vista dramatúrgico, explica el sentido trágico de la rebelión, su condición de catarsis.

— Resume, atendiendo a toda clase de detalles precisos, al complejo argumento del drama y a la sucesiva presencia de situaciones conflictivas, actitudes de los personajes, reacciones y proyectos de los mismos. En esta redacción del argumento, se tendrá muy en cuenta la presencia de Valentín Haüy, así como su posterior dedicación a dignificar la situación individual y social de los ciegos.

— Descubre la clave formal bajo la cual se desarrolla este drama y relaciona los momentos en que se va produciendo el proceso de rebelión del personaje David, así como la presencia en escena de los elementos que harán bufa y grotesca la orquestina: las partituras al revés, las gafas y las palmatorias encendidas, los balidos de los ciegos y las carcajadas de los asistentes.

— Valora la significación, en el marco de la obra, de esta crisis de la rebelión y de cómo desde un aparente gesto altruista se puede encubrir la mentira, de acuerdo con los planteamientos generales de signo ético que caracterizan al teatro de Buero Vallejo.

2. GÉNERO

Buero Vallejo, como sabemos, subtitula *El concierto de San Ovidio* con la denominación de «parábola en tres actos». Pero desde los primeros críticos, al día siguiente del estreno, se le ha atribuido a esta pieza la condición de «tragedia». De las definiciones que da el Diccionario de la Academia de «parábola», sin duda Buero estaba utilizando la que la describe así: «la narración de un suceso fingido, del que se deduce, por comparación o semejanza, una verdad importante o enseñanza moral». Pero no hay duda de que *El concierto de San Ovidio* supera el sentido literal expresado en esta definición y va mucho más allá, hacia la dignidad y excelencia de la tragedia, ya que sus conflictos afectan al destino de los seres humanos.

Si volvemos al diccionario y leemos las dos definiciones de tragedia, advertiremos lo próximo que está Buero Vallejo a este género: «Obra dramática cuya acción presenta conflictos de apariencia fatal que mueven a compasión y espanto, con el fin de purificar estas pasiones en el espectador y llevarle a considerar el enigma del destino humano, y en la cual la pugna entre libertad y necesidad termina en un desenlace funesto». O «Subgénero dramático al cual pertenecen las obras cuyos protagonistas acometen inflexiblemente determinadas empresas, o se dejan llevar de pasiones que desembocan en un final funesto».

El propio Buero Vallejo reiteró en numerosas ocasiones el carácter trágico de su teatro. Y es que toda su obra responde a una cosmovisión trágica que pretende ante todo reflejar los afanes de las personas en el entorno social que les ha correspondido vivir. Él mismo destacó las posibilidades del género no sólo para la depuración por medio de la catarsis, sino como crítica inquietante, como ruptura del sistema de opiniones que seres humanos y sociedades se fabrican para no comprometerse. Una peculiaridad del concepto de tragedia asumido por Buero radica en su condición de tragedia esperanzada, de manera que el espectador experimenta la catarsis al reconocer los males que los personajes no consiguieron evitar, del mismo modo que se ve obligado a actuar, a tomar parte en el conflicto y luchar contra los desastres que lo produjeron.

En *El concierto de San Ovidio* se plantean, con toda claridad, conflictos de carácter trágico, se abre a la esperanza y se compromete al espectador a luchar contra la manipulación de los más débiles, a incluirlo en la defensa de la dignidad del hombre cuando más limitado e impedido se encuentra, contra los enemigos que provocan esa situación trágica, representados en los gestores del Hospicio, en el negociante Valindin y en el público escénico, insensible ante la crueldad y el espanto que, a toda persona normal, provoca la orquestina de los ciegos. Buero la consideraba, en efecto, una tragedia, aunque no a la manera clásica, sino como denuncia de comportamientos éticos, sociopolíticos y metafísicos censurables. El enfrentamiento entre opresión y libertad y la búsqueda de la autenticidad marcan el sentido de esta nueva cosmovisión trágica, una sana rebeldía contra nuestras limitaciones que se plantea la posibilidad de superarlas con la esperanza humana. Se trata de partir de lo que Buero denomina «el hecho trágico», recuperación del necesario, en nuestro tiempo, sentido actual de lo trágico, logrado con la distancia de la historia.

 — Señala el «hecho trágico» como punto de partida del desarrollo del conflicto dramático, es decir, ese elemento que provoca en el dramaturgo la necesidad de luchar contra la opresión de los más débiles.

— Valora las tensiones conflictivas que se producen entre los personajes, y las transformaciones de actitudes que paulatinamente se van operando mientras se progresa en el planteamiento trágico del conflicto.

— Descubre los hechos opresivos, la violencia reflejada en el drama y sobre todo el enmascaramiento de la realidad como recursos propios de la tragedia.

— Relaciona los comportamientos individuales de todos los personajes con una cosmovisión más compleja de carácter social producida por las relaciones entre ellos y destaca la elevación a un plano general o universal de la trágica situación concreta de estos individuos.

— Valora, en el análisis de la cosmovisión trágica de *El concierto de San Ovidio,* su condición de drama social insertado en la historia y desarrolla el valor simbólico que negociante y ciegos tienen en el análisis trágico de la lucha entre opresión y libertad.

— La aspiración a la verdad y a la libertad sólo es posible a través de la acción. Valora la presencia de Valentín Haüy como típico personaje bueriano, como hombre de acción, decidido a descubrir la verdad y a lograr la superación de los límites que caracterizan a las criaturas de este drama.

— Explica la conclusión esperanzada de esta tragedia y señala los medios que Buero ha dispuesto en ella para implicar al espectador en esa conclusión positiva.

3. ACOTACIONES

Todo el teatro de Buero Vallejo está caracterizado por la extensión y precisión de sus anotaciones, que, para el dramaturgo, han sido siempre fundamentales. Los lectores de teatro tienen que agradecer a Buero lo detallado de sus acotaciones, que nos permiten imaginar espacios, escenas, tiempos y actitudes con numerosos pormenores. En el caso de *El concierto de San Ovidio* las acotaciones son particularmente necesarias o imprescindibles. Destacan algunos momentos especiales, como la formación de la orquesta a comienzos del acto segundo o el enfrentamiento fatal entre David y Valindin de finales del acto tercero. En particular, sobresale el epílogo final, para algunos críticos (Laín En-

tralgo, Julia Arroyo) innecesario, por contener la lección
del drama, ya evidente de forma previa.

 — Examina algunas de las más extensas acotaciones y trata de componer la escena elegida.

— Rastrea la obra en busca de aquellas acotaciones que aparecen suministradas de forma paulatina
en relación con la actitud de los personajes.

— Intenta, tras elegir alguna escena determinada,
situar los objetos sugeridos y a los personajes, así
como sus movimientos en escena.

— Discute, de acuerdo con tus preferencias, si es
mejor unas acotaciones absolutamente detalladas o
simplemente referencias meramente sugeridas. Intenta reducir una de las escenas a acotaciones mínimas. Comenta los resultados obtenidos.

— Debate sobre la pertinencia o no del epílogo en
forma de monólogo de Haüy.

4. Tiempo

A la hora de analizar el concepto de tiempo en *El concierto de San Ovidio* hay que referirse a tres dimensiones
diferentes: por un lado, el tiempo en que la obra transcu-
rre; por otro, el propio tiempo dramático de la pieza, y, finalmente, el tiempo metafísico de la pieza, en el que con-
fluyen pasado, presente y futuro.

La obra fue escrita en los primeros años sesenta, en
pleno franquismo. Los hechos aludidos en la obra no
suceden, sin embargo, en esos años concretos, cuando la
Dictadura desarrolló el aparato represivo con mayor intensidad o fuerza, sino casi dos siglos antes, en 1771, en
fechas previas a la Revolución francesa, que supuso la
caída del Antiguo Régimen, aunque el epílogo del drama

se sitúa ya a comienzos del siglo XIX, es decir, algunos años después de la Revolución de 1789, ya que Haüy «viste a la moda de 1800».

Por otro lado, hay que tener presente cuál es el tiempo dramático de la obra ante el espectador. En alguna de sus otras obras, como en *El tragaluz,* Buero ha llevado a cabo un mayor atrevimiento a la hora de establecer los tiempos del drama. En la obra citada se juzga, desde el pasado, el presente y también el pasado. En *El concierto de San Ovidio* los hechos se sitúan en «la historia», es decir, en otro tiempo, con otras circunstancias y con personajes de otra época. Es lo que se denomina la «distancia» histórica, que debe provocar, sin embargo, no una conformidad, o en el peor de los casos una imparcialidad ante hechos que sucedieron en otro tiempo y que nos pueden resultar, hoy, ajenos, sino, que por su propia naturaleza humana y trágica, deben comprometer al espectador en su significado histórico moral y social. La historia no es un telón de fondo o escenario donde transcurren unos hechos ya pasados, sino un espacio de reflexión y compromiso con el presente, su realidad y sus limitaciones, al que nos conduce la condición trágica de tales acontecimientos, y «el hecho trágico» al que se refiere Buero en las reflexiones sobre su teatro.

Por último, hay que aludir al tiempo metafísico. Personajes y acciones son universalmente válidas y están concebidas por encima del tiempo. Personajes y acciones adquieren su condición de símbolos permanentes, y esta condición es la que garantiza la vigencia del teatro de Buero Vallejo, que, si bien puede ser interpretado, como en efecto se ha hecho frecuentemente, como una censura directa de una situación política, social e histórica concreta, la condición trágica de sus conflictos universaliza sus elementos y convierte a sus dramas en vigentes e imperecederos, por encima de un tiempo y de una situación concretas. En el caso de sus numerosos dramas históricos, la meditación sobre el pasado, la relación de los personajes que tienen en su mano el poder con aquellos que son conducidos por los poderosos y que determinan su destino, desarrollará personajes rebeldes o de acción que lucharán contra aquellos elementos que cortan y limitan la libertad. Y tales planteamientos están por encima del tiempo real y del tiempo histórico.

 — Reflexiona sobre las diferentes posibilidades del análisis del tiempo sugeridas, y busca en la obra las referencias múltiples que se hacen al tiempo real, al tiempo dramático y al tiempo metafísico.

— Imagina el futuro de los personajes del drama más allá del tiempo real del mismo.

— Reflexiona también sobre el tiempo histórico en que Buero ha situado su drama, como tiempo de hambre y ferias, de injusticia y corrupción, y señala aquellos elementos que configuran y caracterizan este tiempo.

— Indaga sobre las intenciones de Buero Vallejo al haber construido un ambiente social en un tiempo histórico tan degradado y mísero y con mayor desnivel social.

5. ESPACIO

«En París, del verano al otoño de 1771» se dice lacónicamente aunque con toda claridad tras enumerar el reparto de la obra, con lo que Buero Vallejo opta por situar la pieza, de acuerdo con su condición de drama histórico, en un espacio concreto, del mismo modo que lo hace en un tiempo determinado, con fechas bastante precisas. Naturalmente, tal espacio general en que la obra se desarrolla, junto al tiempo, forma parte sustancial de la función del teatro histórico y desarrolla una serie de connotaciones.

Desde otro punto de vista, hay que tener en cuenta cómo se configura el propio espacio escénico, a lo largo de todo el drama, en el que se dan algunas circunstancias muy llamativas. Por ejemplo, el espacio escénico del acto segundo, que es donde realmente tiene lugar el concierto de San Ovidio a cargo de la orquesta de ciegos. En ese segundo acto, especialmente breve y concentrado, se formaliza la técnica de teatro dentro del teatro, ya que un «público» asiste a la representación de los ciegos y, al mismo tiempo, forma parte de la propia representación general del drama, que ve el público actual. Buero solía dividir sus obras en dos partes, pero cuando escribe *El concierto de San Ovidio* opta por los tres actos, para, como señala David Johnston en la introducción a esta edición, «resaltar la importancia de la escena del concierto, que se configura como un momento clave de la obra». También hay que destacar que este acto comienza «momentos después de caer el telón del primer acto», con la intención de que los espacios escénicos sean inmediatos y consecutivos.

Hay que tener en cuenta también la relación existente entre los diversos espacios escénicos, señalada también por Johnston en la introducción: la descripción del apartamento de Valindin y la descripción de la barraca de feria en la que actúan los ciegos: «la disposición escénica de los dos primeros actos ayuda a crear una fuerte impresión de dos mundos y dos actitudes ante la vida que son diametralmente opuestos». Y, del mismo modo, también los espacios del acto tercero confirman que Buero contrasta el mundo de los acomodados con el de los desposeídos.

Pero, sin duda, el mayor acierto desde el punto de vista de los espacios se produce al final del acto tercero, cuando

David aprovecha la oscuridad para enfrentarse y vencer a Valindin, final de un proceso o de un camino entre las tinieblas físicas del ciego David, compartidas con los demás invidentes desde el principio del drama, y su superación paulatina hasta llegar a dominar con la luz del entendimiento en el momento final. Camino inverso al que recorre su oponente, Valindin, desde el inicio triunfal hasta el final abandonado por Adriana y sumido en la soledad y en las borracheras. Cuando se produce el enfrentamiento en la oscuridad, David domina las tinieblas no sólo con su capacidad física para desenvolverse a oscuras, sino con su superioridad moral, de manera que espacios con luz y espacios con tinieblas forman parte de la construcción simbólica de la obra.

 — Reflexiona sobre las intenciones de Buero Vallejo al ubicar su obra en un lugar concreto, y discute si se trata de un gesto de implicación comprometida de la historia y del pasado en el presente concreto de los espectadores.

— Relaciona tu respuesta con la situación de España en el momento del estreno de la obra, en 1962, y la situación actual de nuestra sociedad, sometida a elementos negativos que alteran la convivencia, tales como la violencia, el terrorismo, la amenaza de la guerra, la corrupción, la falsedad en las relaciones sociales, etc., lo que pone de manifiesto que está viva en nuestro tiempo la dialéctica entre libertad y opresión.

— Discute los sentimientos que producen en ti como espectador los distintos espacios del drama, fundamentalmente el acto segundo, y opta, entre las diferentes alternativas expresadas por el público, por la que consideres más justa.

— Haz una relación de los diferentes espacios escénicos que se suceden en la obra e intenta establecer una significación simbólica de los mismos con referencia al enfrentamiento entre libertad y opresión, desvalidos y poderosos.

— Descubre a través de las acotaciones la capacidad de movimiento, a través de los distintos espacios escénicos, de los ciegos y su lucha por dominar un espacio que no ven.

— Relaciona los espacios con luz y los espacios con oscuridad que se suceden en la obra, y descubre su significado simbólico.

6. PERSONAJES

Junto a Valindin, el negociante que urde la creación de la orquesta de invidentes, perfectamente identificados y con una personalidad diferente, destacan entre los personajes de la obra, los seis ciegos: Gilberto, Lucas, Nazario, Elías, Donato y David. Cada uno de ellos contiene valores simbólicos. Pero, sin duda, es David el que soporta, en su actitud combativa y disconforme, todo el peso de la obra, y, por medio de él, Buero llevará el conflicto a su fin. Además, otros personajes aparecen en escena. Sobresale Adriana, moza de mala fama, que valdrá, al enamorarse de David, para convertirse en uno de los elementos de degradación del odiado Valindin. Y, finalmente, Valentín Haüy, a quien corresponderá, con sus propios escritos que son leídos por él en escena, cerrar el drama y exponer la lección moral de la obra.

 — Realiza una descripción física de cada uno de los seis ciegos. Para su descripción física, tendrás en cuenta las acotaciones.

— Caracteriza psicológicamente sus personalidades. Sin duda, tendrás en cuenta todo lo que dicen, cómo lo dicen y cuándo lo dicen. Pero es también capital para esta reflexión atender a sus actitudes, sus silencios, sus exclamaciones, etc.

— Analiza la actitud de Valindin y valora su proyecto y sus ambiciones. Descubre su capacidad de simulación y señala los momentos en que él mismo con sus expresiones se define como un personaje falso y ambicioso, aunque intente mostrarse como un filántropo.

— Describe los momentos en que Valindin se sirve de la violencia, de la corrupción y de la injusticia para obtener sus fines y valora tales actitudes en el personaje.

— Intenta explicar la posición de Adriana y su enamoramiento de David y justifícalo como una liberación personal al tiempo que un rearme moral, en la constante dialéctica opresión-libertad que ella misma sufre.

— Explica, si ello es posible, la actitud final de Donato.

— Describe el papel estructural y escénico que corresponde a David, indicando los diferentes y sucesivos pasos que atraviesa hasta llegar a la venganza.

— Valora la presencia de Haüy y define su papel en el drama.

7. LENGUAJE DRAMÁTICO

El lenguaje dramático está compuesto por multitud de códigos y sugerencias que poseen valor dramatúrgico. Valorar su función en el desarrollo de la pieza y en cómo llega el mensaje a través de ellos al espectador es fundamental en todo análisis teatral. Aunque en *El concierto de San Ovidio* como en cualquier otra obra de Buero este aspecto es riquísimo, conviene reparar en aquellos pormenores del lenguaje dramático que son más originales de Buero y que forman parte de su estilo inconfundible como autor teatral, tales como las referencias a la música.

Al ser una obra de ciegos, Buero Vallejo, como hace igualmente en *En la ardiente oscuridad,* lleva a cabo determinados recursos para advertir que están sucediendo cosas que los ciegos son capaces de captar antes que el espectador y otras muchas que los videntes perciben mientras que ellos no. En función de la condición de invidentes de muchos de los personajes, Buero dispondrá de multitud de recursos para hacer viable y verosímil el desarrollo del drama.

 — Reflexiona sobre el *allegro* de Corelli que suena en la obra en determinados momentos, y valora su papel desde el punto de vista dramatúrgico.

— Define el papel de la luz y la oscuridad como elementos estructurales del drama.

— Indaga y descubre en la obra aquellos momentos en que los ciegos controlan la situación y aquellos otros en que se encuentran desamparados y valora su significación dramatúrgica.

— Medita sobre el significado simbólico de la espada de Valindin frente al no menos significativo garrote de David.

— Observa y valora cómo el primer acto es de pura presentación de los hechos, sin que en él suceda nada significativo, y demuestra cómo en el segundo y en el tercero se lleva a cabo lo fundamental de la trama de la obra.

— Valora desde el punto de vista dramatúrgico las constantes referencias al hambre y a la pobreza en relación con la ceguera, como limitaciones humanas provocadoras de la injusticia.

— Analiza los elementos dramatúrgicos que configuran el segundo acto, desde la situación de teatro dentro del teatro a los elementos que componen el disfraz de los invidentes y su condición grotesca.

8. Conclusión

 — Lee las reseñas recogidas de la primera representación y destaca lo más sobresaliente en relación con la actualidad (en ese momento) de *El concierto de San Ovidio*.

— Tras hacer una lectura de similares textos correspondientes a la reposición de los años noventa, reflexiona y discute las observaciones en torno a la pertinencia del drama en el tiempo presente.

— Después de hacer una lectura reflexiva y meditada de los textos de Buero referidos a *El concierto de San Ovidio,* opina sobre los cambios de la realidad histórica realizados por el dramaturgo y debate sobre su pertinencia y resultados.

— Plantea la vigencia de la obra ante el espectador:

— como individuo que se ve comprometido por el conflicto en ella planteado.

— como perteneciente a una colectividad con la que ha de convivir.

— como ser humano limitado sometido a fuerzas superiores que determinan su destino.

BIBLIOGRAFÍA ACTUALIZADA

1. Estudios y compilaciones sobre Buero Vallejo

AA.VV., *Antonio Buero Vallejo. Premio de Literatura en lengua castellana «Miguel de Cervantes» 1986,* Barcelona, Anthropos-Ministerio de Cultura, 1987.

AA.VV., *Antonio Buero Vallejo. Premio Miguel de Cervantes [1986],* Madrid, Biblioteca Nacional, 1987.

AA.VV., *El tiempo recobrado. La historia a través de la obra de Antonio Buero Vallejo,* Ciudad Real, Junta de Comunidades de Castilla-La Mancha y Caja Castilla-La Mancha, 2003.

AA.VV., *Buero después de Buero,* Ciudad Real, Junta de Comunidades de Castilla-La Mancha, 2003.

AGUILAR SERRANO, Pedro, y JORDA VIEJO, Sonia (eds.), *Regreso a Buero Vallejo,* Guadalajara, Ayuntamiento, 2000.

Anthropos, núm. 79, diciembre de 1987 (monográfico dedicado a Buero).

BEJEL, Emilio, *Buero Vallejo, lo moral, lo social y lo metafísico,* Montevideo, Instituto de Estudios Superiores, 1972.

BOBES NAVES, Jovita, *Aspectos semiológicos del teatro de Buero Vallejo,* Kassel, Reichenberger, 1997.

BRIZUELA, Mabel, *Los procesos semióticos en el teatro. Análisis de «Las meninas» y «El sueño de la razón» de Antonio Buero Vallejo,* Kassel, Reichenberger, 2000.

Buero por Buero. Conversaciones con Francisco Torres Monreal, Madrid, Asociación de Autores de Teatro, 1993.

CARO DUGO, Carmen, *The Importance of the Don Quixote Myth in the Works of Antonio Buero Vallejo*, Lewiston, Mellen University Press, 1995.

CORTINA, José Ramón, *El arte dramático de Antonio Buero Vallejo*, Madrid, Gredos, 1969.

Cuadernos de Ágora, núms. 79-82, mayo-agosto 1963 (monográfico dedicado a Buero).

Cuadernos El Público, núm. 13, abril 1986 (monográfico, Regreso a Buero Vallejo).

CUEVAS GARCÍA, Cristóbal (dir.), *El teatro de Buero Vallejo. Texto y espectáculo*, Barcelona, Anthropos, 1990.

DEVOTO, Juan Bautista, *Antonio Buero Vallejo. Un dramaturgo del moderno teatro español*, Ciudad Eva Perón (B.A.), Elite, 1954.

DIXON, Victor, y JOHNSTON, David (eds.), *El teatro de Buero Vallejo, Homenaje del hispanismo británico e irlandés*, Liverpool University Press, 1996.

DOMÉNECH, Ricardo, *El teatro de Buero Vallejo*, Madrid, Gredos, 1993, 2.ª ed.

DOWD, Catherine Elizabeth, *Realismo trascendente en cuatro tragedias sociales de Antonio Buero Vallejo*, Valencia, Estudios de Hispanófila, University of North Carolina, 1974.

Estreno, V, 1, primavera 1979 (monográfico dedicado a Buero).

Estreno, XVII, 1, primavera 2001 (monográfico dedicado a Buero).

FUENTE, Ricardo de la, y GUTIÉRREZ, Fabián, *Cómo leer a Antonio Buero Vallejo*, Madrid-Gijón, Júcar, 1992.

GERONA LLAMAZARES, José Luis, *Discapacidades y minusvalías en la obra teatral de D. Antonio Buero Vallejo (Apuntes psicológicos y psicopatológicos sobre el arte dramático como método de exploración de la realidad humana)*, Madrid, Universidad Complutense, 1991.

GONZÁLEZ-COBOS DÁVILA, Carmen, *Antonio Buero Vallejo, el hombre y su obra*, Salamanca, Universidad, 1979.

GRIMM, Reinhold, «Ein iberischer "Gegenentwurf"?», *Antonio Buero Vallejo, Brecht und das moderne Welttheater*, Kopenhagen-München, Wilhelm Fink, 1991.

HALSEY, Martha T., *Antonio Buero Vallejo,* New York, Twayne, 1973.

—, *From Dictatorship to Democracy, The Recent Plays of Antonio Buero Vallejo (From «La Fundación» to «Música cercana»),* Ottawa, Dovehouse Editions, 1994.

HÄRTINGER, Heribert, *Oppositionstheater in der Diktadur. Spanienkritik im Werk des Dramatikers Antonio Buero Vallejo vor dem Hintergrund der franquistischen Zensur,* Wilhelmsfeld, Gottfried Egert, 1997.

IGLESIAS FEIJOO, Luis, *La trayectoria dramática de Antonio Buero Vallejo,* Santiago de Compostela, Universidad, 1982.

IGLESIAS FEIJOO, Luis, y PACO, Mariano de, Introducción a su edición crítica de Antonio Buero Vallejo, *Obra Completa,* Madrid, Espasa Calpe, Clásicos Castellanos, 1994, vol. I, págs. IX-CIX.

INIESTA GALVAÑ, Antonio, *Esperar sin esperanza. El teatro de Antonio Buero Vallejo,* Murcia, Universidad de Murcia-Real Academia de Bellas Artes Santa María de la Arrixaca, 2002.

LEYRA, Ana María (coord.), *Antonio Buero Vallejo. Literatura y Filosofía,* Madrid, Complutense, 1998.

MATHÍAS, Julio, *Buero Vallejo,* Madrid, EPESA, 1975.

Montearabí, 23, 1997 (monográfico dedicado a Buero).

MÜLLER, Rainer, «Antonio Buero Vallejo». *Studien zum Spanischen Nachkriegstheater,* Köln, 1970.

NEWMAN, Jean Cross, *Conciencia, culpa y trauma en el teatro de Antonio Buero Vallejo,* Valencia, Albatros-Hispanófila, 1992.

NICHOLAS, Robert L., *The Tragic Stages of Antonio Buero Vallejo,* Valencia, Estudios de Hispanófila, University of North Carolina, 1972.

O'CONNOR, Patricia W., *Antonio Buero Vallejo en sus espejos,* Madrid, Fundamentos, 1996.

PACO, Mariano de (ed.), *Estudios sobre Buero Vallejo,* Murcia, Universidad, 1984.

—(ed.), *Buero Vallejo (Cuarenta años de teatro),* Murcia, Caja-Murcia, 1988.

—, *De re bueriana (Sobre el autor y las obras),* Murcia, Universidad, 1994.

PACO, Mariano de, *Antonio Buero Vallejo en el teatro actual,* Murcia, Escuela Superior de Arte Dramático, 1998.

—(ed.), *Memoria de Buero,* Murcia, CajaMurcia, 2000.

PACO, Mariano de, y DÍEZ DE REVENGA, Francisco Javier (eds.), *Antonio Buero Vallejo dramaturgo universal,* Murcia, Caja-Murcia, 2001.

PAJÓN MECLOY, Enrique, *Buero Vallejo y el antihéroe. Una crítica de la razón creadora,* Madrid, 1986.

—, *El teatro de A. Buero Vallejo, marginalidad e infinito,* Madrid, Fundamentos, Espiral Hispanoamericana, 1991.

PÉREZ HENARES, Antonio, *Antonio Buero Vallejo, Una digna lealtad,* Toledo, Junta de Comunidades de Castilla-La Mancha, 1998.

PUENTE SAMANIEGO, Pilar de la, *Antonio Buero Vallejo. Proceso a la historia de España,* Salamanca, Universidad, 1988.

RICE, Mary, *Distancia e inmersión en el teatro de Buero Vallejo,* New York, Peter Lang, 1992.

RUGGERI MARCHETTI, Magda, *Il teatro di Antonio Buero Vallejo o il processo verso la verità,* Roma, Bulzoni, 1981.

RUPLE, Joelyn, *Antonio Buero Vallejo. The First Fifteen Years,* New York, Eliseo Torres & Sons, 1971.

SCHMIDHUBER, Guillermo, *Teatro e historia. Parangón entre Buero Vallejo y Usigli,* Monterrey, Gobierno del Estado de Nuevo León, 1992.

SERRANO, Virtudes, y PACO, Mariano de (eds)., *Antonio Buero Vallejo, La realidad iluminada,* Madrid, Fundación Cultura y Deporte de Castilla-La Mancha, 2000.

TRAPERO LLOBERA, Patricia, *El tragaluz. Antonio Buero Vallejo,* Palma de Mallorca, Monograma, 1995.

VERDÚ DE GREGORIO, Joaquín, *La luz y la oscuridad en el teatro de Buero Vallejo,* Barcelona, Ariel, 1977.

2. LIBROS Y ESTUDIOS QUE INCLUYEN A BUERO

ABUÍN, Ángel, *El narrador en el teatro. La mediación como procedimiento en el discurso teatral del siglo XX,* Santiago de Compostela, Universidad, 1997.

AMORÓS, Andrés; MAYORAL, Marina, y NIEVA, Francisco, *Análisis de cinco comedias (Teatro español de la posguerra)*, Madrid, Castalia, 1977.

ARAGONÉS, Juan Emilio, *Teatro español de posguerra*, Madrid, Publicaciones Españolas, 1971.

AZNAR SOLER, Manuel (ed.), *Veinte años de teatro y democracia en España (1975-1995)*, Sant Cugat del Vallès, Cop d'Idees-CITEC, 1996.

BALESTRINO, Graciela, y SOSA, Marcela, *El bisel del espejo. La Reescritura en el Teatro Contemporáneo Español e Hispanoamericano*, Salta, Universidad, Cuadernos del CESICA, 1997.

BARRERO PÉREZ, Óscar, *Historia de la literatura española contemporánea (1939-1990)*, Madrid, Istmo, 1992.

BERENGUER, Ángel, y PÉREZ, Manuel, *Tendencias del teatro español durante la transición política (1975-1982)*, Madrid, Biblioteca Nueva, 1998.

BONNÍN VALLS, Ignacio, *El teatro español desde 1940 a 1980. Estudio histórico-crítico de tendencias y autores*, Barcelona, Octaedro, 1998.

BOREL, Jean-Paul, *El teatro de lo imposible*, Madrid, Guadarrama, 1966.

CENTENO, Enrique, *La escena española actual (Crónica de una década, 1984-1994)*, Madrid, Sociedad General de Autores y Editores, 1996.

CONDE GUERRI, María José, *Panorámica del teatro español (1940-1980)*, Madrid, Asociación de Autores de Teatro, 1994.

EDWARDS, Gwynne, *Dramaturgos en perspectiva. Teatro español del siglo XX*, Madrid, Gredos, 1989.

ELIZALDE, Ignacio, *Temas y tendencias del teatro actual*, Madrid, Cupsa, 1977.

FERRERAS, Juan Ignacio, *El teatro en el siglo XX (desde 1939)*, Madrid, Taurus, 1988.

FLOECK, Wilfried (ed.), *Spanisches Theater im 20. Jahrhundert. Gestalten und Tendenzen*, Tübingen, Franke, 1990.

FORYS, Marsha, *Antonio Buero Vallejo and Alfonso Sastre. An Annotated Bibliography*, Metuchen, N. J. & London, The Scarecrow Press, Inc., 1988.

FRITZ, Herbert, *Der Traum im spanischen Gegenwartsdrama,* Frankfurt, Vervuert, 1996.

GABRIELE, John P., *De lo particular a lo universal. El teatro español del siglo XX y su contexto,* Frankfurt am Main, Vervuert, 1994.

GARCÍA, Crisógono, *Estrenos teatrales en el Madrid de las últimas décadas,* Madrid, Grupo Libro 88, 1993.

GARCÍA LORENZO, Luciano, *Documentos sobre el teatro español contemporáneo,* Madrid, S.G.E.L., 1981.

—, *El teatro español hoy,* Barcelona, Planeta-Editora Nacional, 1975.

GARCÍA PAVÓN, Francisco, *El teatro social en España (1895-1962),* Madrid, Taurus, 1962.

GARCÍA RUIZ, Víctor, *Continuidad y ruptura en el teatro español de la posguerra,* Pamplona, Eunsa, 1999.

GARCÍA TEMPLADO, José, *Literatura de la posguerra, el teatro,* Madrid, Cincel, 1981.

—, *El teatro español actual,* Madrid, Anaya, Biblioteca Básica de Literatura, 1992.

GIULIANO, William, *Buero Vallejo, Sastre y el teatro de su tiempo,* New York, Las Américas, 1971.

GÓMEZ GARCÍA, Manuel, *El teatro de autor en España (1901-2000),* Madrid, Asociación de Autores de Teatro, 1996.

GUERRERO ZAMORA, Juan, *Historia del teatro contemporáneo,* Barcelona, Juan Flors, 1967.

HALSEY, Martha T., y ZATLIN, Phyllis (eds.), *The Contemporary Spanish Theatre,* New York, University Press of America, 1988.

—(eds.), *Entre Actos: Diálogos sobre teatro español entre siglos,* State College, The Pennsylvania State University, Estreno, 1999.

HOLT, Marion P., *The Contemporary Spanish Theater (1949-1972),* Boston, Twayne, 1975.

HUERTA CALVO, Javier, *El teatro en el siglo XX,* Madrid, Playor, 1985.

ISASI ANGULO, Amando Carlos, *Diálogos del Teatro Español de la Postguerra,* Madrid, Ayuso, 1974.

MARQUERÍE, Alfredo, *Veinte años de teatro en España,* Madrid, Editora Nacional, 1959.

MEDINA, Miguel Ángel, *El teatro español en el banquillo,* Valencia, Fernando Torres, 1976.

MIRA NOUSELLES, Alberto, *De silencios y espejos. Hacia una Estética del Teatro Español Contemporáneo,* Valencia, Universidad, 1996.

MOLERO MANGLANO, Luis, *Teatro español contemporáneo,* Madrid, Editora Nacional, 1974.

NEUSCHÄFER, Hans-Jörg, *Adiós a la España eterna. La dialéctica de la censura. Novela, teatro y cine bajo el franquismo,* Barcelona, Anthropos, 1994.

NICHOLAS, Robert L., *El sainete serio,* Murcia, Universidad, Cuadernos de la Cátedra de Teatro, 1992.

OLIVA, César, *El teatro desde 1936,* Madrid, Alhambra, 1989.

—, *Teatro español del siglo XX*, Madrid, Síntesis, 2002.

PACO, Mariano de, «Buero Vallejo», en Javier Huerta Calvo (dir.), *Historia del teatro español*, II, Madrid, Gredos, 2003, págs. 2756-2788.

PEDRAZA JIMÉNEZ, Felipe B., y RODRÍGUEZ CÁCERES, Milagros, *Manual de literatura española. XIV. Posguerra, dramaturgos y ensayistas,* Pamplona, Cénlit, 1995.

PÉREZ MINIK, Domingo, *Teatro europeo contemporáneo,* Madrid, Guadarrama, 1961.

PÉREZ-STANSFIELD, María Pilar, *Direcciones de Teatro Español de Posguerra, Ruptura con el Teatro Burgués y Radicalismo Contestatario,* Madrid, José Porrúa Turanzas, 1983.

RAGUÉ ARIAS, María José, *Lo que fue Troya. Los mitos griegos en el teatro español actual,* Madrid, Asociación de Autores de Teatro, [1992].

—, *El teatro de fin de milenio en España (De 1975 hasta hoy),* Barcelona, Ariel, 1996.

RICO, Francisco, y otros, *Historia y crítica de la literatura española.* vols. 8 (Época contemporánea, 1939-1975), 9 (Los nuevos nombres, 1975-1990), y 8/1 (Época contemporánea, 1939-1975. Primer suplemento), Barcelona, Crítica, 1981, 1992 y 1999 respect.

RODRÍGUEZ ALCALDE, Leopoldo, *Teatro español contemporáneo,* Madrid, EPESA, 1973.

ROMERA CASTILLO, José, y GUTIÉRREZ CARBAJO, Francisco, eds., *Teatro histórico (1975-1998). Textos y representaciones,* Madrid, Visor, 1999.

RUGGERI MARCHETTI, Magda, *Studi sul teatro spagnolo del novecento,* Bologna, Pitagora, 1993.

RUIZ RAMÓN, Francisco, *Historia del teatro español. Siglo XX,* Madrid, Cátedra, 1977, Tercera ed.

—, *Estudios sobre teatro español clásico y contemporáneo,* Madrid, Fundación Juan March / Cátedra, 1978.

—, *Celebración y catarsis (Leer el teatro español),* Murcia, Universidad, Cuadernos de la Cátedra de Teatro, 1988.

SALVAT, Ricard, *El teatre contemporani,* Barcelona, Ediciones 62, 1966.

SANZ VILLANUEVA, Santos, *Literatura actual,* Barcelona, Ariel, 1984.

SORDO, Enrique, «El teatro español desde 1936 hasta 1966», en Guillermo Díaz Plaja (dir.), *Historia general de las literaturas hispánicas,* Barcelona, Vergara, 1968.

TORO, Alfonso de, y FLOECK, Wilfried (eds.), *Teatro Español Contemporáneo. Autores y Tendencias,* Kassel, Reichenberger, 1995.

TORRENTE BALLESTER, Gonzalo, *Teatro español contemporáneo,* Madrid, Guadarrama, 1968, 2.ª ed.

URBANO, Victoria, *El teatro español y sus directrices contemporáneas,* Madrid, Editora Nacional, 1972.

VALBUENA PRAT, Ángel, *Historia del teatro español,* Barcelona, Noguer, 1956.

COLECCIÓN AUSTRAL

EDICIONES DIDÁCTICAS